Quand elle ne chante pas dans les cours, Edith commence à travailler sa voix.
(Ph. Charmet)

# Édith Piaf

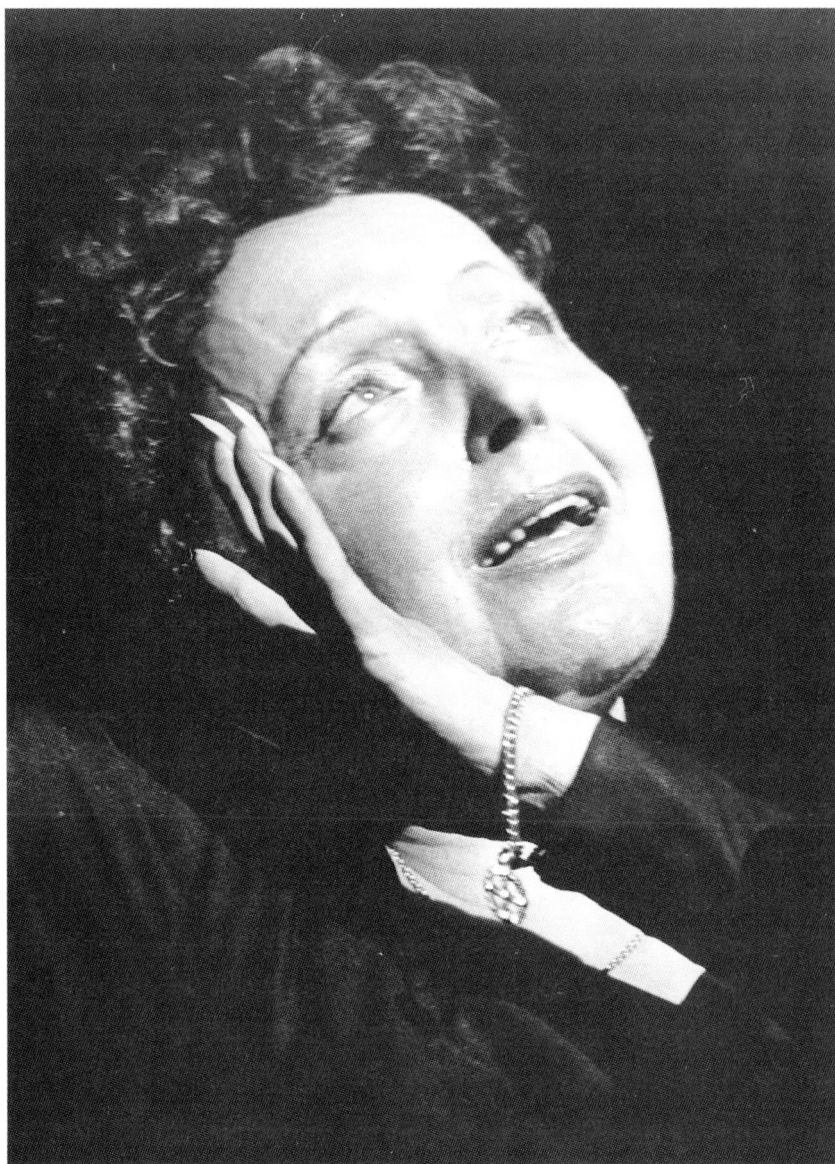

Piaf en 1962. (Ph. Keystone)

Monique LANGE

# Édith Piaf

JClattès

*Pour Carole et Jean*

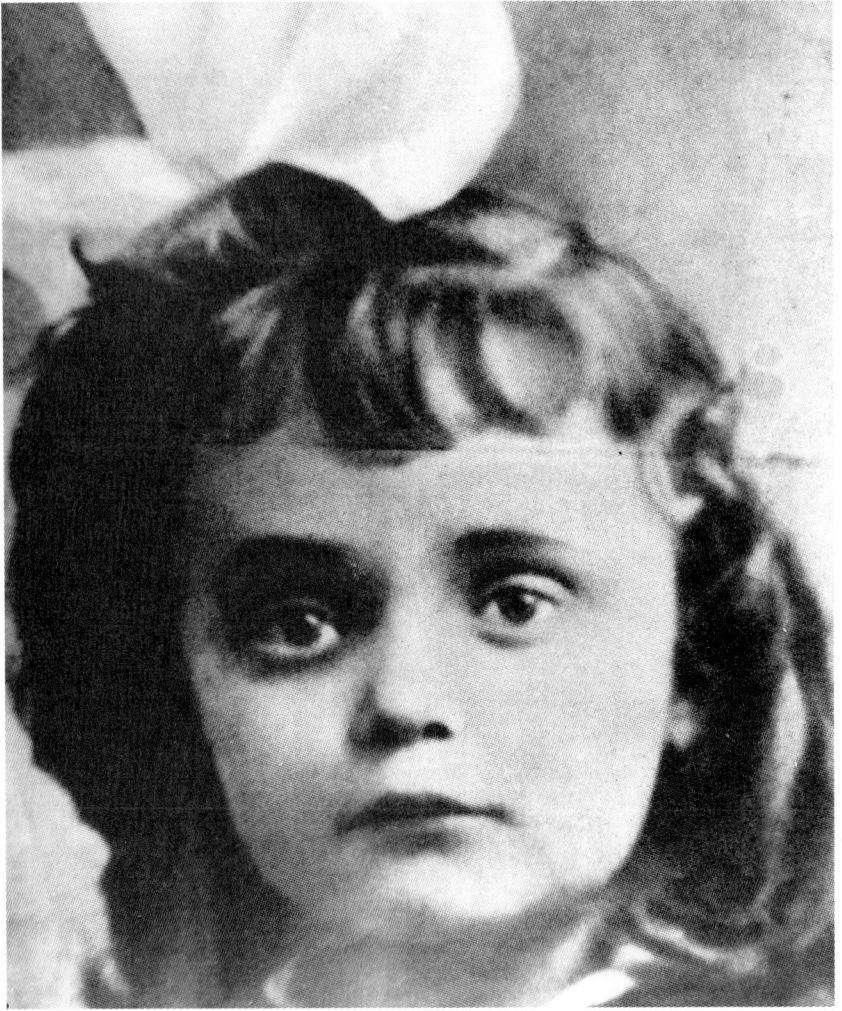

Edith en 1917 à Bernay, en Normandie, chez Madame Louise, sa grand-
mère, qui depuis son veuvage tient une maison d'un genre
un peu spécial. Edith y sera très heureuse. (Ph. Sygma)

# 1

# L'enfance

« Elle s'est vengée toute sa vie d'une jeunesse épouvantable. »

*Bruno Coquatrix*

« Momone était le rappel de leur monstrueuse enfance. »

*Henri Contet*

Edith, quand elle chantait dans les rues avec son père. (Ph. Sygma)

Il n'est pas de jour où la voix de Piaf ne déchire le ciel, ne surgisse de la nuit pour vous jeter dans sa nuit à elle, dans cette étrange nuit, ces ténèbres arrachées à sa misère, à son enfance, à ses amours manquées.

Piaf sera disparue depuis mille ans déjà qu'on l'entendra encore chanter, que l'on s'étonnera de cette force, de cette violence, de ce lyrisme, que l'on se demandera d'où venait cette voix...

Elle venait de très loin. Elle venait de Kabylie. La grand-mère d'Édith était kabyle et, sous le nom d'Aïcha, faisait dans des cirques ambulants un numéro de puces savantes.

Cette voix venait aussi de l'ignorance, de la peur, et d'une abominable absence de tendresse. Cette voix venait de la mémoire de l'enfer.

Édith aimait à raconter qu'elle descendait d'un maréchal d'Empire originaire de Pau. Il existe bien des Gassion à Pau, mais les ancêtres paternels d'Édith venaient de Normandie. Du plus loin que l'on se souvienne, d'un petit village qui s'appelait Castillon et où Richard Gassion, né en 1656, exerçait la profession de laboureur. Ce petit village comptait trois cent trente et un habitants.

Les Gassion quittèrent Castillon pour Falaise cent ans plus tard, et ils travaillèrent dans la bonneterie.

C'est avec le grand-père d'Édith, Victor Alphonse Gassion, que naquit la tradition de la balle dans la famille.

Victor Alphonse Gassion, né le 10 décembre 1850 à Falaise, entra au cirque *Ciotti* et parcourut avec lui la France et l'Europe. Passionné de chevaux, il sera écuyer. Il rencontrera sa femme, Louise Léontine Descamps, née en 1860 à Carvin dans le Pas-de-Calais, dans l'auberge de son père. Jean Descamps avait fait vingt-deux enfants à son épouse! Louise et Victor Gassion en auront quatorze, nés au gré des tournées du cirque *Ciotti*. L'un des aînés sera le père d'Édith, Louis-Alphonse Gassion, né le 10 mai 1881.

Tous les hommes de la famille sont de petite taille : un mètre soixante-trois au maximum. Le père d'Édith mesurait un mètre quarante-sept comme elle...

Louis Gassion passera les dix premières années de sa vie à Falaise, puis il entrera au cirque *Ciotti*, lui aussi. C'est là qu'il deviendra le saltimbanque qu'Édith a toujours aimé.

« Louis-Alphonse Gassion
Contorsionniste-antipodiste
L'homme qui marche la tête à l'envers. »
C'est un joli garçon... de quarante kilos, lorsqu'il rencontre Anetta Maillard à la Foire de Paris. Elle vend du nougat et tient un manège. Et, comme tout ça ne lui rapporte guère, elle chante. Il n'aura pas de mal à la séduire. Ils se marieront en 1914. Louis a trente-trois ans, Anetta seize. Elle lui apporte en dot cette voix surprenante qui sera le seul cadeau que sa fille recevra jamais d'elle.

Quelques mois avant la déclaration de guerre de 1914, ils font une petite fille. L'ont-ils conçue au 72 de la rue de Belleville, où Anetta fut prise par les douleurs, l'histoire ne le dit pas ; mais ce que nous savons, c'est que Louis Gassion, qui était aussi buveur que coureur, partit chercher l'ambulance et qu'il s'arrêta dans tous les troquets qui séparaient la rue de Belleville de l'hôpital, tandis qu'Anetta accouchait sur une pèlerine de flic dans le couloir de leur maison, et non sur le trottoir de la rue de Belleville.


Très souvent, dans la biographie de Piaf, nous rencontrerons plusieurs vérités, plusieurs versions du même événement : tout d'abord parce que sa vie est entrée dans la légende, qu'elle a été racontée en feuilletons, en bandes dessinées, en romans-photos, en livres, mais aussi parce que, souvent, elle n'avait pas envie de dire la vérité ou qu'elle ne la connaissait pas.

Tentons de nous rapprocher de *sa* vérité. C'est un petit être maigrichon, rachitique, qui voit le jour à cinq heures du matin tout en haut de la rue de Belleville, en 1915, dans le plus grand dénuement.

Une infirmière habitant à quelques centaines de mètres de là, au 4, rue de la Chine, coupera, « en l'absence du père », le cordon ombilical de la petite fille, qui fut appelée Édith (on peut être ivrogne et cocardier) en l'honneur d'Edith Cavell, héroïne anglaise fusillée quelques jours plus tôt par les Allemands.

C'est la guerre. Le père Gassion est mobilisé. Anetta Maillard ira traîner sur la Butte et chanter des chansons tristes dans des beuglants, où Michel Simon exécute des numéros de danse acrobatique. Très vite, elle abandonnera Édith à sa grand-mère kabyle, qui vit dans un taudis rue Rébeval.

Hélas, si la grand-mère kabyle n'est pas méchante, elle ne respecte ni l'hygiène ni le Coran : elle mettra du vin rouge dans les biberons d'eau de la petite sous prétexte que ça tue les microbes et ne la lavera guère.

Line Marsa – c'était le nom d' « artiste » de la mère d'Édith – mourut un soir d'août 1945 après s'être fait une piqûre de morphine. Le jeune drogué qui vivait avec elle prit peur et la descendit dans la rue. Elle est bien morte « dans le ruisseau », comme le lui avait prédit le père Gassion. On a caché sa mort à Piaf aussi longtemps qu'on l'a pu. Piaf avait une peur maladive de la drogue, qui eut raison de sa dignité vers la fin de sa vie.

Si elle ne pardonna pas à sa mère de l'avoir abandonnée, elle ne se plaignit jamais de cette misère qui l'avait faite : « Je ne serais pas Piaf si je n'avais pas vécu tout ça », avait-elle coutume de dire.

Édith est si mal en point lorsque le père Gassion vient en permission en 1917 qu'il s'affole devant cette petite fille couverte de croûtes et l'emmène chez sa mère, Mme Louise, qui depuis son veuvage tient une « maison d'un genre un peu particulier » à Bernay, en Normandie.

L'arrivée d'Édith et du vaillant soldat rend tout le monde très joyeux. Ces demoiselles sont ravies. Elles, qui font bien souvent ce métier-là pour élever un enfant qu'elles doivent mettre en nourrice, vont dorloter l'enfant, la cajoler.

Édith saute à pieds joints de la misère de la Butte à l'opulence normande. Ses huit mamans lui apprennent à faire la révérence et lui enseignent les bonnes manières. « D'ailleurs, chez nous, il n'y a que du beau monde ! »

Une photo de cette époque, après deux ans de « cocollage » par ces dames, nous montre une ravissante petite fille au regard clair, avec des anglaises et un nœud dans les cheveux. Elle est entourée de deux cousines, beaucoup moins jolies qu'elle. Elle pianote au salon. Elle grimpe sur les genoux de ces messieurs. Elle est heureuse.

Un beau matin de printemps, Édith devient aveugle. En vérité, elle a une inflammation de la cornée, une kératite qui se guérira d'elle-même. Ces demoiselles sont pourtant convaincues que c'est grâce à leurs prières qu'Édith a recouvré la vue le 21 août 1921. Elles fermeront la maison le dimanche suivant pour aller rendre grâce à la petite sœur Thérèse de Lisieux, qui sera toujours la « préférée » d'Édith.

La petite a six ans.

Ce « miracle » est un des thèmes favoris de la légende d'Édith.

Puisqu'elle voit, il faut l'envoyer à l'école, lui acheter ces petits cahiers à carreaux qu'elle adorera toute sa vie. Le curé dit à Mme Louise qu'il voudrait bien parler au père d'Édith. Lorsque le père Gassion arrive, il le sermonne : maintenant que les yeux de l'enfant se sont dessillés – et il s'agit bien d'un miracle –, il n'est pas convenable qu'elle les ouvre sur le péché.

Et le père Gassion reprend sa fille sous le bras.

Mais cette fois-ci c'est pour l'entraîner vers leur vie de bohème.

Édith n'a pas encore sept ans lorsqu'elle commence sa vie errante avec son père.

Ils vont de ville en ville. Le père Gassion déroule son tapis sur un trottoir et il exécute quelques numéros très simples. La petite Édith fait la quête.

Quand ils ont gagné assez d'argent, après avoir mangé, ils se paient l'hôtel, autrement ils dorment n'importe où. Mais chaque fois qu'ils restent quelques jours au même endroit, le père Gassion, qui n'est pas un mauvais homme, envoie Édith à l'école. Elle adore apprendre et elle serre ses cahiers contre son cœur.

Ils ont un petit singe avec eux. Édith est chargée de le garder. Elle ne l'aime pas. Si elle s'en occupe mal, elle reçoit une raclée : le père Gassion a bon cœur mais il a la main leste.

Les jours de bombance, c'est la petite Édith qui doit surveiller le ragoût de mouton. Elle grimpe sur une chaise parce qu'elle n'est pas assez grande, se met à genoux devant le ragoût et le tourne avec un bout de bois.

Piaf, raconte Marie Bell, lavait le gigot avant de le cuire. Elle lavait toujours la viande : elle lavait les biftecks, elle lavait les escalopes. Cela doit venir de cette période-là. On pense aux asticots du *Cuirassé Potemkine*.

Parmi les numéros inventés par le père Gassion, il y a celui de la table savante. Édith se cache sous une table recouverte d'un tapis. Puis elle répond aux questions par des petits coups : Toc! Toc! Toc! C'est le numéro de la table qui parle.

Un jour, à la grande honte de la petite, le père Gassion, un peu pris de boisson, fera tomber le tapis et le public hilare découvrira une petite fille en haillons à quatre pattes sous la table.

Le père Gassion a une méthode du même style pour apprendre l'histoire de France à Édith. Il lui demande à brûle-pourpoint :

« Qui a cassé le vase de Soissons ? »

« Qui a dit : " Ralliez-vous à mon panache blanc " ? »

« Qui a instauré la poule au pot tous les dimanches ? »

Elle reçoit une gifle chaque fois qu'elle ne sait pas répondre. Cette drôle de méthode lui fit adorer l'histoire de France – et les coups. Et comme, lorsque la mort approche, c'est l'enfance qui vous revient, c'est l'histoire de France qu'elle relira passionnément les derniers jours de sa vie.

Le père Gassion aime autant les femmes que la boisson, et il a plus d'un tour dans son sac !

La tête en bas, le « contorsionniste-antipodiste » repère celles qui lui plaisent et, lorsqu'il est « retombé sur ses pattes », il demande à Édith de faire, au moment de la quête, son numéro de-la-petite-fille-qui-n'a-pas-de-maman.

Édith a huit ans et prend là ses premiers cours de comédie. Elle s'approche de l'élue avec sa petite soucoupe.

« Je suis triste, dit-elle, parce que je n'ai pas de maman.

— Tu n'as pas de maman ? soupire la femme tout attendrie.

— Non, répond Édith derrière ses grands yeux bleus.

— Où est-elle, ta maman ?

— Elle m'a laissée, répond la petite. Vous ne voulez pas être ma maman ? »

Pas une femme ne lui résiste. Personne, tout au long de sa vie, n'aura la force de lui résister. Édith est magnétique.

La possible maman se précipite à l'hôtel dès le lendemain pour border la petite. Le père Gassion lui fait un brin de cour et, lorsque l'affaire va bon train, Édith se plante devant la porte et monte la garde.

Parfois les choses sont encore plus simples. Ils dorment tous les trois dans le petit lit de fer.

Toute sa vie, Edith aimera faire le fête. (Ph. Sygma)

# 2

# La voix

« Pour moi chanter, c'est une évasion, c'est un autre monde. Je ne suis plus sur terre. »

*Édith Piaf*

« Dans *Le Voyage du pauvre nègre*, si je fais avec mes bras les mouvements d'un nageur à la fin de la chanson, c'est parce que, lorsque je l'ai chantée pour la première fois, je ne me souvenais plus exactement des paroles et l'idée de ce geste m'est venue. »

*Édith Piaf*

« Chaque fois qu'elle chante, on dirait qu'elle arrache son âme pour la dernière fois. »

*Jean Cocteau*

« Je suis sûre qu'on pourrait lire du Baudelaire au music-hall et le faire applaudir. »

*Édith Piaf*

« Nous savions que sa voix, qui contenait tant de détresse, tant de tourments, était une voix d'amour. »

*Jean Noli*

« Édith chanta. Et elle, si décharnée et misérable, et elle si brisée et blessée, si coupable et innocente de ses erreurs et de ses malheurs, nous bouleversa... cette voix qui la rendait enfin sincère, qui trahissait son angoisse, qui dévoilait sa solitude, cette voix qui nous la faisait tant aimer... car, pourquoi le nier, nous l'aimions. »

*Jean Noli*

Line Marsa, mère d'Edith, chanteuse elle aussi.
Elle mourra en 1945. (Ph. D.R.)

Un hiver plus rude que les autres, le père Gassion tombe malade. Il n'y a plus un sou à la maison et d'ailleurs il n'y a pas de maison. La petite Édith, qui n'a pas dix ans, descend dans la rue. Comme elle n'aime pas tendre la main, elle chante la seule chanson qu'elle connaisse par cœur : *La Marseillaise.* Elle récolte plus d'argent que son père. La môme est née. Une môme extraordinaire dont la voix va bouleverser le monde.

Piaf découvrit sa voix ce jour-là comme les adolescentes découvrent brusquement leur beauté, leur pouvoir sur les autres. Elle découvrit aussi ce vertige de liberté, d'insurrection, d'indépendance, qui ne la quitta jamais.

Piaf est de la race de Gavroche et des enfants dans les films de Charlot. Piaf est la petite fille des *Temps modernes* – celle qui doit voler pour manger, sauter par la fenêtre pour échapper à la police. Comme Gavroche, elle a l'audace des enfants de la misère, le culot des enfants de la balle, des petits cireurs, des mendiants arabes hauts comme trois pommes. Piaf traînera toujours ces enfants-là, dans les poches de sa robe noire, comme les cailloux du Petit Poucet.

De ces années nous ne savons pas grand-chose. Édith n'en parlait pas. Le père et la fille dormaient souvent à la belle étoile et, pour réchauffer la gosse quand elle avait trop froid, le père Gassion lui faisait avaler quelques goulées de cognac.

A quinze ans, Édith quitte son père pour voler de ses propres ailes. Elle volera... Elle ne mangera pas tous les jours à sa faim; mais, folle de liberté, ivre de liberté, elle chantera dans les rues, accompagnée de Momone, qu'elle appelait sa « frangine » et qui plus tard se fit passer pour sa sœur.

Édith chante dans les cours et c'est Momone qui fait la quête comme Édith l'avait faite pour son père pendant des années. Elles dorment dans des caves où l'une des deux doit toujours rester éveillée avec un gros bâton à côté d'elle pour chasser les rats. C'est en souvenir de cette misère que Piaf a toujours, sa vie durant, tout pardonné à Momone.

« Ma vie de gosse, ça peut vous paraître épouvantable mais c'était beau... J'habitais Barbès, Pigalle, Clichy, les rues de lumière, les rues de plaisir... J'ai eu faim... J'ai eu froid... Mais j'étais libre... libre de ne pas me lever... de ne pas me coucher... de me saouler... de rêver... d'espérer. »

Édith connut un de ses premiers triomphes dans la rue en chantant *La Fiancée du démon*, un des « tubes » de l'époque. Elle chantait dans le faubourg Saint-Martin et provoqua un gigantesque attroupement car, en 1932, des hommes et des femmes pouvaient bloquer une rue pour écouter chanter une gamine. La police dut intervenir et Édith paya une contravention. Le lieutenant de police n'accepta de la libérer que si elle lui chantait *J'ai le cafard*, un autre « tube » de l'époque. Sinon, elle passerait la nuit au poste... ça n'était pas la première fois ! Édith chanta, tandis que Momone récoltait dans son vieux béret basque deux kilos de pièces de cinquante centimes...

Cette nuit-là, Édith eut le pressentiment obscur, naïf, violent, qu'un jour sa voix submergerait le monde. Ce serait sa réponse à l'abandon de sa mère.

« J'ai toujours eu envie de chanter. Comme j'ai toujours su qu'un jour je prendrais ma place dans la chanson. C'était comme une prémonition qui m'est venue simplement en entendant les bravos. »

Le père Gassion – entre deux anisettes – fait rechercher mollement Édith, qui, lorsqu'elle n'a pas assez gagné dans les cours, chante aussi dans les casernes avec le père Ribon.

Édith aidera le vieux père Ribon aussi longtemps

qu'elle vivra. Elle l'aidera comme elle en a aidé des milliers d'autres. Mais elle meurt avant lui, et il s'éteint en 1973, misérable, dans une mansarde où courent les rats, au cœur de ce Ménilmontant qu'il n'a jamais quitté – les rats qui empêchaient Édith de dormir lorsqu'elle était petite.

Dans les casernes, Édith commence à se forger son « mythe de l'homme » : les beaux soldats au regard clair.

*Il avait en partant du front*
*Et descendant jusqu'au menton*
*Une cicatrice en diagonale,*
*Des cheveux noirs, des yeux tout pâles,*
*La peau brûlée par le soleil... **

Pourtant c'est dans les bras de P'tit Louis, un « titi » livreur, qui lui a fait baisser les yeux tandis qu'elle chantait porte des Lilas, qu'elle connaîtra l'amour. Ils vont vivre ensemble, dans un hôtel minable de la rue de Belleville. Ils paient leur chambre trente-cinq francs par semaine et, le dimanche, ils vont au cinéma à l'Alcazar, rue du Jourdain. P'tit Louis offre à Édith une place à deux francs. A l'Alcazar, elle découvre Charlot, son alphabet, Tom Mix et Rudolph Valentino.

* *Mon Amant de la Coloniale*, 1936. Paroles de Raymond Asso, musique de Juel. Les Éditions de Paris, S.E.M.I.

Édith est enceinte. P'tit Louis voudrait qu'elle cesse de chanter dans les rues. Mais elle est incapable de travailler. Elle s'enfuit d'une crémerie au bout de quelques jours. « Qu'est-ce que tu veux, je n'aimais pas l'odeur du fromage ! »

P'tit Louis, pour monter son ménage, vole un peu aux étalages. Édith réchauffe de temps en temps des haricots blancs dans des boîtes de conserve.

Si P'tit Louis a été le premier homme qu'Édith ait fait souffrir, il ne sera pas le dernier. Elle le quitte pour son *Amant de la Coloniale*. Elle chante dans les cours, flanquée de Momone, portant Cécelle dans les bras. Ce n'est pas pour attendrir les gens qu'elle emmène sa petite, c'est pour ne pas la laisser seule comme sa propre mère l'a laissée. Mais elle ne sait pas s'en occuper. Comment saurait-elle élever une enfant, elle qui n'a pas été élevée ?...

La petite Cécelle meurt d'une méningite à l'hôpital Tenon. Elle meurt surtout des séquelles de la misère de l'enfance d'Édith et de son ignorance. Elle meurt en août 1935. Elle n'a pas deux ans.

Ici se place la légende de la passe d'Édith, à qui il manquait dix francs pour payer l'enterrement de sa fille. Tout Pigalle, Belleville et Ménilmontant, qui l'adoraient, s'étaient cotisés, mais ses copains étaient aussi pauvres qu'elle. Elle monte avec un homme pour dix francs.

Plus tard, devenue célèbre, elle décida qu'il était

plus convenable de raconter que celui qui était monté avec elle ne l'avait pas touchée. Arrivée dans la chambre, elle s'était mise à pleurer.

« Qu'est-ce qui t'arrive ? avait demandé l'homme.

– Je fais ça pour pouvoir payer l'enterrement de ma petite fille », sanglota Édith. L'homme lui donna dix francs sans rien lui demander.

VA, ET COURAGE, MÔME, C'EST PAS DRÔLE, HEIN, LA VIE ! titrait *France-Dimanche*. « Un vrai gentleman », soupirait Édith quinze ans plus tard.

Après sa rupture avec P'tit Louis et la mort de la petite, Édith bascule de Ménilmontant à Pigalle et devient la proie fascinée des mauvais garçons. Trois hommes ne lui suffisent pas pour oublier Cécelle. Elle boit, elle rit, elle chahute. Sa mère l'avait abandonnée ; la petite, c'est elle qui l'a quittée.

Elle tombe sur des souteneurs. Ils l'éblouissent. Elle les chantera, mais elle est très jeune et ce sont eux qui la feront chanter. Elle est une force de la nature. Elle ne se prostituera pas, comme le lui suggérait sa mère quand elle la croisait sur la Butte, mais elle devra donner trente francs par jour à Albert, le plus beau des trois souteneurs. Elle les donnera sur ses chansons. Rosita, l'autre femme, les lui donne sur ses passes de la rue Blanche.

Elle sera bien obligée – même si elle ne se prostitue pas – de se soumettre à la loi du milieu, qui est implacable. Tandis qu'elle chante dans les dancings, elle repère les « femmes à bijoux » et le soir, à *La Nouvelle Athènes*, elle les montre du doigt à Albert.

Celui-ci leur fait alors une cour discrète avant de les dévaliser dans une impasse. Ensuite, avec l'argent des bijoux volés, il « bamboche » avec Édith et ses copains.

Quand la fête est finie, Édith leur chante :

*Des gens rupins, des blasés, des vicieux,*
*avec leurs poules qui nous font les doux yeux,*
*viennent dans nos bouges*
*boire du vin rouge.*
*... On sent leur chair qui frémit dans nos bras,*
*alors on serre en leur disant tout bas :*
*c'est nous qui sommes les Hiboux, les apaches,*
*les voyous... \**

Édith aime la nuit, elle l'aimera toujours. Elle a peur du jour.

Elle descend à pied de Pigalle aux Champs-Élysées. Elle chante dans les cinémas, dans les bals musette ; mais ce qu'elle préfère à tout, c'est la rue. Elle aime le pavé comme on aime les fleurs, comme on aime la mer. Paris lui colle au corps. C'est lui qu'elle a dans la peau.

C'est lui et... les voyous. Quand elle chante, elle leur donne la chair de poule, elle les fait frissonner,

---

\* *Les Hiboux*, 1935. P. Dalbret, Joullot. Éditions universelles.

elle fait battre leur cœur. Mais, tout de suite après, avec ses gestes à contretemps, avec cette fébrilité, cette avidité, cette générosité désordonnée, elle se fait brutalement rabrouer. Elle court toujours après celui qui ne veut pas d'elle. Elle est toutes les paroles de ses chansons, tous ses mélos. Elle est tout ce qui se refuse à elle.

*Hélas un soir, quelle tristesse,*
*Mon amant n'est pas revenu... * *

Elle est adorée et moquée. Même Asso-le-Jaloux, celui qui fut son premier maître et qui l'aimait, celui qui la battait (ce qu'elle aimait), même Asso reconnaissait que Pigalle l'adorait.

Édith chante presque toujours Rive droite.
Elle ne traverse jamais la Seine.
Pourquoi?

* *Mon cœur est au coin d'une rue,* 1937. A. Lasry, H. Coste. Éditions Lasry.

# 3

# Leplée

« Leplée rencontre un spahi à Pigalle. Il l'invite le lendemain au *Gernys*. Le burnous rouge sur l'épaule, la haute chéchia carrée sur la nuque. Leplée est là avec la môme Piaf. Il est très tard. Il n'y a presque plus de monde. " Oh le beau gosse ! s'exclame la môme.

– Dis donc, il n'est pas pour toi, c'est mon béguin. "

Puis Leplée se lance à l'assaut. Le spahi savait : " Vous vous êtes trompé, je n'en suis pas. N'insistez pas. "

Leplée raconte sa déception à la môme Piaf. " Dis donc, s'il n'est pas pour toi, il est pour moi. " Et elle l'embarque dans un taxi. »

*Détective*

« Il y avait autour du patron du *Gernys* une véritable mafia que je crois capable de tout. »

*Philippe Hériat*

« Un jeune inverti se nommant la Panthère dans le milieu des fils de joie l'avait délesté de son portefeuille après l'avoir menacé de son revolver dans un hôtel du côté du marché aux fleurs de la Madeleine. »

*Détective*

Au moment de l'affaire Leplée, la môme interrogée par la police.
(Ph. Keystone)

Par un bel après-midi de septembre, Édith chante à l'angle de la rue Troyon et de l'avenue Mac-Mahon.

*Le bec ouvert comme un moineau*
*L'œil effronté comme un moineau*
*Chanter l'amour comme deux moineaux* *.

Un monsieur bien mis l'écoute en fronçant les sourcils. Édith remarque son regard bleu, tendre et triste à la fois. Il s'approche d'elle, après qu'elle a fini de chanter.

« Tu n'es pas folle ? Tu vas te casser la voix.
– Il faut bien que je mange.
– Bien sûr, mon petit... seulement tu pourrais

---

* *Comme un moineau*, 1927. Paroles de Marc Hély, musique de Jean Lenoir. Nouvelles Éditions Méridian, 5, rue Lincoln, Paris 8ᵉ.

travailler autrement. Avec la voix que tu as, pour-
quoi ne chantes-tu pas dans un cabaret ?
— Vous avez un contrat à m'offrir ?...
— Viens me voir lundi à quatre heures au *Gernys*.
Tu me chanteras toutes tes chansons et... nous ver-
rons ce qu'on peut faire de toi. »

L'homme griffonne son nom et son adresse dans
la marge du journal qu'il tient à la main et donne
un billet de cinq francs à Édith.

« Je m'appelle Louis Leplée et je dirige le *Gernys*. »

Édith ne sait pas qu'elle vient de naître une
seconde fois. Le lundi après-midi, elle traîne encore
dans sa chambre minuscule de la rue Orfila, à
Ménilmontant, quand soudain quelque chose de plus
fort qu'elle la fait bondir hors du lit.

Elle saute dans le métro et arrive chez Leplée avec
une heure de retard.

« Une heure de retard, ça promet ! Qu'est-ce que
ça sera quand tu seras vedette ! »

Édith chante tout son répertoire, qui va de Damia
à Tino Rossi. Leplée refuse de l'écouter dans *Faust*.

En vérité, il est bouleversé ; et, du fond de sa solitude de vieil homosexuel, il a reconnu le génie de la
petite fille de Belleville et de Ménilmontant.

Il l'engage pour le vendredi suivant et lui
demande d'apprendre quatre chansons qui lui ressemblent : *Les Mômes de la cloche*, *Nini peau de
chien*, *La Valse brune* et *Je me sens dans tes bras, si
petite*.

« Comment tu t'appelles ? lui demande Leplée.

— Édith Gassion.

— Ça n'est pas un nom de théâtre.

— Je m'appelle aussi Tania, Denise Jay, Huguette Elia. »

C'étaient ses noms de bal musette.

« Pas fameux, soupire Leplée. Écoute, tu es un vrai moineau de Paris et le nom qui t'irait, c'est Moineau. Malheureusement la môme Moineau, c'est déjà pris. Un moineau, en argot, c'est un piaf. Tu es une enfant de l'argot. Tu seras la môme Piaf. »

Ce vendredi-là, Piaf, qui avait fait pleurer les pauvres, les marins et les soldats, fit frissonner les riches éblouis qui, tout en dégustant un « coq au Chanturgues », entendaient égrener une misère dont l'écho même ne leur était pas parvenu. En 1935, Belleville et Ménilmontant étaient très loin des Champs-Élysées, et la petite Édith brûlait vive devant eux.

Leplée la présenta lui-même :

« Il y a quelques jours, je passais rue Troyon. Sur le trottoir une petite fille chantait. Une petite fille au visage pâle et douloureux. Sa voix m'a pris aux entrailles. Elle m'a ému. Elle m'a bouleversé et cette enfant de Paris, j'ai voulu vous la faire connaître. Elle n'a pas de robe du soir et si elle sait saluer, c'est parce que je le lui ai appris hier. Elle va se présenter à vous telle qu'elle était quand je l'ai rencontrée dans la rue : sans maquillage, sans bas, avec une petite jupe de quatre sous... Voici la môme Piaf ! »

Édith avait jeté sur ses épaules le châle qui recouvrait le piano; mais, lorsqu'elle leva les bras au ciel, Joseph Kessel, Maurice Chevalier, Mistinguett et Fernandel s'aperçurent qu'elle n'avait tricoté qu'une manche à son pull-over. Ça ne l'empêcha pas de faire un triomphe.

« Elle en a plein le ventre, la môme », s'écria Maurice Chevalier.

Leplée était un personnage étrange et attachant, neveu de Polin, célèbre vedette de café-concert; lui aussi était un enfant de la balle.

Dans sa jeunesse, il avait fait une carrière honorable au music-hall. Blessé à la guerre, il boitait maintenant. Il avait tout d'abord ouvert un petit cabaret dans le sous-sol du *Palace*, rue du Faubourg-Montmartre, dont le patron, Dufresne, homosexuel lui aussi, avait été assassiné. Puis il avait lancé à Pigalle un cabaret de travestis, le *Libertys*. Il y présentait un numéro et Bob, son associé, recevait déguisé en femme. Mais le *Libertys* n'était pas une boîte sectaire, et les femmes y chantaient des chansons grivoises à faire rougir un corps de garde. Cela se passait en 1932.

Ensuite, Louis Leplée inaugura le *Gernys*, avec une formule neuve pour l'époque : c'était un restaurant qui n'ouvrait qu'à neuf heures du soir et dont les attractions se poursuivaient jusqu'à quatre heures du matin.

Édith la noctambule et Louis Leplée étaient nés pour se rencontrer, eux qui ne pouvaient jamais se coucher avant d'avoir vu le jour se lever. Mais elle avait beau arracher des larmes aux « gens distingués », après le spectacle, au grand désespoir de Leplée, qui aurait bien voulu faire comme elle, elle rejoignait ses copains de Pigalle qui l'attendaient à *La Belle Ferronnière* et elle flambait son argent avec eux comme elle le flambera toute sa vie.

En vérité, Leplée est profondément touché par Édith. Il l'a prise en main. Elle est le cadeau de ses vieux jours. Il veut lui apprendre la vie. Il l'aime. Elle l'appelle papa, non pas qu'elle renie une seconde son acrobate-ivrogne de père, mais parce qu'elle le sent, comme elle, seul au monde et qu'ils sont tous deux, dans des itinéraires fort différents, refusés par la société. Louis Leplée est fier – lui qui a imposé tant de vedettes un peu frelatées au Tout-Paris – d'amener à la gloire ce petit oiseau tombé du nid qu'elle n'a jamais eu. Mais elle est restée celle qu'elle sera toute sa vie : une insoumise. Et Leplée doit parfois l'enfermer à double tour pour qu'elle ne file pas chanter à nouveau dans les rues dès qu'il lui manque cent sous pour aller au cinéma.

En vérité, et Leplée le sait bien, si Édith est éblouie lorsqu'il lui montre dans la salle Philippe

Hériat, le fils du roi Fouad I$^{er}$, le prince Farouk et Jean Tranchant, si elle n'en croit pas ses yeux lorsque Mermoz l'invite à boire une coupe de champagne à sa table et lui offre toute la corbeille de la marchande de fleurs, c'est dans la rue qu'elle retrouve son vrai public, celui qu'elle cherchera toute sa vie et qui la cherchera lui aussi, celui qu'elle méprise et qu'elle adore. Un an avant de mourir, elle murmurait en s'écroulant sur scène : « Je ne peux pas faire ça à mon public. » C'est le seul amant qui ne l'ait pas déçue, puisqu'il ne l'a pas touchée.

Chez Leplée, Édith rencontrera un soir Jacques Bourgeat : ce sera une des rencontres importantes de sa vie.

Jacques Bourgeat est un poète autodidacte. A douze ans, petit électricien de tramways, avide de connaissances, il écrit des poèmes. Plus tard il découvre la Bibliothèque nationale et il recopie, dans le *Larousse* à vingt-cinq sous, le nom de tous les livres qu'il a envie de lire ; et le dimanche, parce que c'est gratuit, il visite le Louvre de fond en comble.

Édith chantait depuis trois jours chez Leplée lorsque Jacques Bourgeat, amené par un ami plus riche que lui, vient l'écouter.

Lorsqu'il l'entend chanter, Jacques Bourgeat n'en croit ni son cœur ni ses oreilles. Son ami invite Édith à boire une coupe de champagne après son tour de chant. Et c'est alors que commence la plus belle histoire d'amitié que l'on puisse inventer. Celle-là, Édith ne la chantera pas : elle la vivra. La tendresse qui exista entre eux est un des aspects le moins public mais certainement le plus touchant de la vie de Piaf.

Au *Gernys*, Piaf demande à Jacques Bourgeat : « C'est vrai que vous êtes poète, monsieur ? Alors, écrivez-moi des chansons. J'habite à l'hôtel Piccadilly, rue Pigalle. Venez me voir demain. »

Bourgeat vient la voir le lendemain dans l'après-midi. Édith a des réveils de tigresse, mais elle ne l'effraie pas. Il viendra souvent la chercher à la sortie du *Gernys*, à trois heures et demie du matin et ensemble, pour six francs, ils dînent d'une soupe et d'un steak à Pigalle, au *Sans-Souci*.

Édith commence à bien gagner sa vie. Elle découvre sa passion pour les chapeaux ! Le premier qu'elle s'achète coûte dix francs à Uniprix. Il est tango, avec cinq pompons multicolores. Jacques Bourgeat avoue : « Quand elle se baladait sur l'avenue de Clichy, ce bibi sur la tête et un matelot ou un spahi pendu à son bras, je la priais de marcher cinquante mètres devant moi ou cinquante mètres derrière... Je n'osais pas me montrer aux côtés d'un couple pareil ! »

Il l'emmènera souvent dans un petit hôtel de la vallée de Chevreuse, à côté de l'abbaye de Port-Royal-des-Champs. Il lui fait la lecture. En écoutant le récit de la mort de Socrate, dont elle ignorait l'existence, elle se met à pleurer.

« Un jour, elle m'a demandé le nom d'une fleur ; c'étaient des liserons. Je lui ai dit que ces fleurs se fermaient le soir. Après le dîner, elle m'a demandé de retourner voir avec elle si les liserons étaient fermés. Nous y sommes allés. Elle n'a rien dit devant les fleurs, mais une demi-heure plus tard je l'ai entendue qui pleurait dans sa chambre. »

Leur amitié donne des ailes à Édith. Toute sa vie, elle écrira des lettres à Jacques Bourgeat, qui les donnera, après la mort d'Édith – avant sa mort à lui –, à la Bibliothèque nationale. Il ne sera possible de les lire qu'en 2004. En voici pourtant une qu'elle lui envoya de Lausanne, lors d'une tournée en 1936 :

« Je t'envoie une photo, car je suis à peine réveillée ! Alors tu vois que je ne me porte pas trop mal. Je ne suis plus avec personne. J'ai tout scié car j'ai décidé d'être sérieuse et de travailler durement... Et quand je vais rentrer à Paris, je vais être toute seule... Je suis décidée à apprendre à écrire pour ne plus faire de fautes. Tu me donneras des leçons que j'exécuterai avec joie et puis j'irai chez le dentiste, à la culture physique. Tu verras comme ton petit oiseau a changé. »


L'assassinat de Leplée fut un crime absurde, une blague qui tourna mal.

Leplée s'était imprudemment vanté au *Gernys* d'avoir vendu un appartement du côté des Champs-Élysées, le matin même, pour vingt mille francs en espèces. Comme c'était un samedi, l'argent était forcément chez lui.

Quatre jeunes voyous qui traînaient au *Gernys* montèrent chez lui vers huit heures du matin, pour lui soutirer de l'argent. Ils caressèrent le menton de la petite bonne qu'ils croisèrent dans l'escalier, ce qui prouve bien qu'ils n'avaient pas l'intention de tuer. Leplée, sans doute, prit peur. Un coup de revolver partit et lui traversa le crâne. Le protecteur de Piaf était mort. Pour rien.

Bien entendu, Piaf fut soupçonnée. Elle partageait avec Leplée son goût pour les mauvais garçons.

Il ne faut jamais perdre de vue que la célébrité foudroyante que Piaf connut chez Leplée en moins de six mois commença à une époque où n'existaient ni les microsillons qui firent leur apparition en 1948, ni la télévision, et que la gloire d'Édith lui venait d'un Tout-Paris cruel, frelaté et mondain, encore effrayé d'avoir porté aux nues une petite fille si pauvre et si sale, dont la voix montait du ruisseau.

Le public de Piaf était à ce moment-là, juste avant 1936, celui qui allait voir Charlot et riait à gorge déployée lorsqu'il apercevait un ouvrier devenu fou visser les boutons des robes des femmes en les prenant pour des boulons. Piaf le faisait pleurer en égrenant sa misère et celle des gosses de son époque, mais ces larmes-là séchaient vite !

Marcel Montarron fut un des seuls journalistes à défendre Piaf au moment de l'affaire Leplée.

Il écrit dans *Détective*, le 16 avril 1936 :

« L'homme de la rue ignore Louis Leplée. Il n'ignore pas la môme Piaf, dont le nom et la voix ont déjà couru sur les ondes de la T.S.F. C'est la môme Piaf qu'entourent et que cernent les reporters. La pauvre gosse en apprenant la mort de son bienfaiteur s'effondre. Elle est chétive et sanglotante. On la presse de questions. On lui demande si elle a des soupçons. Elle n'en a pas, mais pêle-mêle, elle cite le nom d'un de ses anciens amants, Henri Vallette, celui d'un béguin de passage, Georges le spahi, et celui de son actuel petit copain. »

Le petit copain s'appelle Pierrot. C'est un marin. « Est-il bête ! » dit Piaf en mangeant pour la première fois de sa vie des grenouilles, place du Tertre, avec Montarron et Serruzier, à qui l'on doit les étonnantes photographies de Piaf au moment de l'affaire Leplée.

Piaf n'oublia jamais cette époque-là. Piaf n'oubliait jamais. C'était une « dégréneuse * » terrible. Elle ne supportait pas les couples. Elle ne sup-

---

* Argot : qui débauche une main-d'œuvre ou une clientèle. (*Le Petit Simonin illustré.*)

portait rien. Ses débuts avaient été trop durs et ce monde qu'elle étonnait était trop injuste.

« Elle envoyait *Sambre-et-Meuse,* écrit encore Montarron dans *Voilà,* au cours des concerts donnés par l'artiste forain dans les casernes, et *L'Internationale* lorsque, le soir, on la faisait monter sur la table de quelque cabaret de mineurs. Et les gars aux gueules noires écoutaient fascinés cette même pâlotte et chétive, cette petite môme de Paname, haute comme trois pommes, qui venait leur chanter la révolte et l'espoir en des jours meilleurs. »

La révolte, elle ne la chanta pas longtemps. Très vite, elle préféra crier les misères de l'amour.

Dès qu'elle n'a plus eu faim, elle a préféré délirer sur l'amour. Elle en aimait les blessures, elle en aimait la souffrance, elle aimait ce qui la portait au-dessus d'elle-même. Elle n'a jamais rien trouvé de mieux que le mal d'amour. En 1950 elle chantera encore :

> *J'avais tant d'amour pour un homme.*
> *Il en avait si peu pour moi.*
> *C'est peu de chose la vie en somme.*
> *Je l'ai tué. Tant pis pour moi \*.*

---

\* *C'est d'la faute à ses yeux,* 1950. Parole et musique d'Édith Piaf. Chanson harmonisée par Robert Chauvigny. Éditions Paul Beuscher.

---

Le commissaire Guillaume, qui dirige l'enquête sur l'affaire Leplée, sait parfaitement qu'Édith est étrangère à ce crime, mais il veut profiter de son désarroi pour glaner quelques renseignements sur les petits voyous de Ménilmontant et de Pigalle qu'elle fréquente.

La môme sanglote. D'abord parce qu'elle a un vrai chagrin et aussi parce qu'elle se trouve à nouveau confrontée avec l'injustice. Elle, qui avait tant rêvé de la une des journaux, est traînée dans la boue.

UNE CHANTEUSE DE CABARET COMPROMISE DANS L'AFFAIRE LEPLÉE.

ON NE S'APPELLE PAS PIAF.

IL N'Y A PAS DE FUMÉE SANS FEU.

Leplée, son cadavre encore chaud, est abandonné lui aussi. « Ses amis » ont peur d'être reconnus à son enterrement. On y verra peu de monde. La môme, désespérée, accrochée au bras de Laure Jarnys, ancienne reine des Six Jours, l'hôtesse entraîneuse du *Gernys*, pleure des larmes de feu.

« Ton protecteur est mort ! lui crie-t-on. Tu n'as plus qu'à retourner chanter dans la rue ! »

Et tous ceux qui l'avaient fêtée l'abandonnent. Elle ne possède plus que sa voix superbe, qu'elle ne sait pas encore maîtriser.

Piaf a failli, à ce moment-là, retomber dans le ruisseau.

Seules quelques personnes lui gardent leur confiance : son accordéoniste Juel, qui se fait traiter de maquereau; Jacques Bourgeat, qui ne l'abandonna jamais; Marguerite Monnot, la musicienne rêveuse et lunaire qui est un des « anges » de la vie de Piaf; Jacques Canetti, qui travaille à ce moment-là à Radio-Cité et qui se bat pour que la Môme passe sur les ondes; et Raymond Asso, qui va bientôt apparaître dans la vie de Piaf.

L'assassinat de Leplée fait partie des malédictions qui ont jonché la vie de Piaf. Malédiction ou fatalité dont on était trop heureux de murmurer qu'elle en était responsable. Les êtres comme Piaf engendrent l'idolâtrie aussi bien que la haine. C'est le sort des vedettes, et Piaf fut tout au long de sa vie une idole maudite.

PIAF PORTE MALHEUR, clamera *France-Dimanche*. On l'accusera d'avoir fait perdre un combat à Cerdan; c'est à cause de son « mauvais œil » que les avions de Cerdan et de Douglas Davies, son jeune amant américain, s'écraseront. Et, cette année-là, Leplée avait été assassiné parce qu'il l'avait laissée entrer au *Gernys*.

La môme, un dimanche, place du Tertre. (Ph. Sygma)

# 4

# Asso

« Ce sont les autres qui l'ont tuée elle était si facile à entraîner. »

*Raymond Asso*

« Je l'ai gardée trois ans et je l'ai menée tambour battant. »

*Raymond Asso*

« Ma pauvre petite... une sauvage sur le plan humain, elle ne savait pas manger, pas se laver... »

*Raymond Asso*

« Elle ressemblait à un mendiant espagnol, à la fois fier et méprisant, craintif et peureux. »

*Raymond Asso*

Edith et Raymond Asso. (Ph. Roger/Viollet)

Après la mort de Leplée, Canetti envoie Piaf en tournée dans les cinémas de quartier. Cette tournée ne se passe pas toujours très bien. Les ouvriers n'aiment pas qu'une « fille du peuple » soit éclaboussée par une histoire de mœurs bourgeoises. A Pigalle, à *L'Odett*, on la siffle et on l'insulte. Paris lui fait horreur. Elle a peur.

Jacques Canetti parle alors de la Môme à Fernand Lumbroso, un jeune imprésario. « En province, l'affaire Leplée est moins connue, tu pourrais lui organiser quelques tournées... »

Piaf débarque chez Lumbroso avec son manteau de lapin, un petit chapeau en forme de galette planté de guingois sur ses cheveux peignés à la chien. Bien entendu, elle est flanquée de Momone, qui est réapparue. Lumbroso, un peu inquiet, les envoie dans un cinéma de Brest. Les petites trouvent Brest sinistre et font la java avec les marins. Édith arrive souvent en retard, ne tenant pas très bien sur ses jambes.

Son répertoire d'alors : *Correcq et réguyer, Le Grand Totor, La Fille et le chien, Entre Saint-Ouen et Clignancourt*, est annoncé par Momone. « *Idylles des barrières, rengaines des faubourgs, sont par la môme Piaf évoquées tour à tour.* » Les marins mangent des cacahuètes et transforment le cinéma de Brest en une sorte de Jardin d'acclimatation. Le public bourgeois est mécontent et le patron du cinéma furieux.

Il se plaint à Lumbroso, qui s'arme de patience et envoie les deux gamines en Belgique, où elles font encore plus de bêtises. Puis à Nice. Édith chante à la *Boîte à vitesse*. Elle gagne mal sa vie, fréquente des petits voyous niçois, enferme des marins américains dans sa chambre pour les retrouver après son tour de chant et se sent dégringoler...

Elle n'a plus de goût à rien. La mort de Leplée lui apparaît comme un mauvais présage. Noire de chagrin, comme dans ses chansons, elle rentre à Paris et elle connaît un de ces étonnants sursauts de vitalité, un de ces actes tournés vers son destin de chanteuse comme elle en aura tout au long de sa vie. Elle appelle au secours Raymond Asso, qu'elle avait croisé dans une maison d'édition de musique, en octobre 1935, au moment de ses débuts chez Leplée, tandis qu'elle cherchait à améliorer son répertoire. Asso venait alors d'écrire sa première chanson. Sa rencontre avec Piaf fut comme la foudre. Voici ce qu'il écrivait de sa vie avant cette rencontre.

« Ma vie avant ce jour-là n'a aucune importance. Gardien de troupeaux au Maroc à quinze ans, soldat à dix-neuf, libéré en 1923, j'avais fait trente-six métiers plus ou moins baroques sans parvenir à trouver mon équilibre, tant j'étais resté marqué par le climat très spécial qui était celui du Maroc de mon adolescence. »

Asso est pétrifié : elle sera son destin. Il sera un des premiers maillons de la chaîne, mais c'est elle qui, le soir même de leur rencontre, cherchera dans Pigalle « un type maigre avec un grand nez qui habite le quartier et qui fait des chansons ».

Si Piaf s'est souvent trompée sur le plan sentimental, c'est toujours avec un instinct très sûr qu'elle a recherché ceux dont elle avait besoin dans son métier, et c'est avec ce même instinct – et cette même cruauté – qu'elle a su se séparer d'eux lorsqu'elle éprouvait le besoin de se renouveler.

Un petit gars de Montmartre la conduit chez Asso. Il est en train d'écrire *Mon Légionnaire*.

*Il avait de grands yeux très clairs*
*Où parfois passaient des éclairs*
*Comme au ciel passent les orages.*
*Il était plein de tatouages*
*Que j'ai jamais très bien compris.*

*Son cou portait « Pas vu, pas pris »*
*Sur son cœur, on lisait « Personne »*
*Sur son bras droit un mot « Raisonne * ».*

Édith lit la chanson. « C'est pas mal, dit-elle imperturbable. Mais j'aimerais mieux que ce soit un gars de la Coloniale. »

Elle ne sait pas encore de quelle voix déchirante elle chantera :

*J'sais pas son nom,*
*Je n'sais rien de lui*
*Il m'a aimée toute la nuit*
*Mon Légionnaire... **

Son béguin du jour est en effet un gars de la Coloniale.

Asso sourit. Ces aveux-là ne lui font pas encore mal. Le lendemain, Édith lui amène Marguerite Monnot, qui écrira la musique du *Légionnaire*.

Il est déjà mordu mais ne veut pas le montrer. Puisque Édith ne veut pas chanter *Mon Légionnaire*, il donnera la chanson à Marie Dubas.

Édith le regrettera par la suite, mais elle est dans le tourbillon de la rue Pierre-Charron et de la fête à

---

* *Mon Légionnaire*, 1936. Paroles de Raymond Asso, musique de Marguerite Monnot. S.E.M.I., 5, rue Lincoln, Paris 8ᵉ.

Pigalle. Elle fuit Asso, qui dit de ses amis qu'« ils la soignent au beaujolais et au cognac ».

Elle part à Nice et fait encore la java quelque temps, puis quitte le Midi. De la gare, elle lui téléphone.

« Raymond... je suis gare de Lyon. J'ai mis mes derniers sous dans l'appareil. J'ai plus d'engagements. On m'a virée de partout. J'ai fait des blagues et je ne sais où aller... Qu'est-ce que je fais, dis ? Y a que toi pour me sauver... ou la rue... qu'est-ce que je fais ? » « Sa voix tremblait », dit Asso, qui lui répond, le cœur fou : « Prends un taxi, je t'attends. »

Il va devenir son mac, mais il l'aime.

Elle va exiger de lui qu'il n'écrive que pour elle — l'aventure Marie Dubas lui a servi de leçon. Ce sera la force d'Édith de découvrir très vite que ses paroliers et ses musiciens doivent n'écrire que pour elle. Elle ira jusqu'à les emmener parfois en Amérique ou ailleurs. Elle connaît trop les dangers de l'absence. Pour elle... Pour les autres.

Asso-le-rédempteur a compris la chance ineffable pour lui de l'appel d'Édith. Il ne la tiendra qu'en la battant et il chassera Momone, qu'il appellera encore trente ans plus tard « le démon familier d'Édith ». Mais il écrit pour elle, il se bat pour elle, il la force à travailler.

« Après être passée entre les mains d'Asso, Édith

est devenue un cheval drillé », dira Paul Meurisse qui fut son successeur.

Asso veut être celui qui la fera passer de l'état de chrysalide à celui de papillon ; et lui, qui est dingue de « la Môme », accouchera d'Édith Piaf.

« Je l'appelais aussi Didou ! Car, si je suis né avec elle, je sais aussi que je l'ai enfantée. On aime bien donner à ceux que l'on aime des noms parfois puérils. Elle m'appelait bien Cyrano ! »

Elle doit être consacrée. Asso veut qu'elle devienne une vedette. Le directeur de l'*A.B.C.*, Mitty Goldin, ne veut pas en entendre parler. La réputation de la Môme est très mauvaise en ce moment et les vedettes ne manquent pas. C'est la grande époque de Tino Rossi, Lucienne Boyer, Charles Trénet, Joséphine Baker, Jean Lumière. Mitty Goldin n'a pas besoin, sur sa scène des boulevards, d'une petite fille des rues, d'une petite fille à soldats, d'une petite fille à maquereaux.

Au bout de trois mois, après avoir fait travailler Édith nuit et jour, Asso gagne la bataille de l'*A.B.C.*, et c'est ÉDITH PIAF qui chante au printemps 1937, dans une petite robe noire, avec un col de dentelle blanc, bien coiffée, toute nette, le visage quasi mystique.

Elle remporte un triomphe, un triomphe qui est aussi près de la musique que du music-hall.

Asso exulte. Il a demandé à Lumbroso de renoncer à son contrat. Il lui démontre sournoisement qu'il n'était pas valable : Piaf était mineure ! « Et puis, c'est moi qui la débarbouille le matin, qui lui donne sa camomille... qui... qui... la lave quand elle a vomi. »

Il dit tout cela pour ne pas avouer qu'il l'aime, qu'il en est fou. Piaf sait qu'elle a besoin de lui, de sa passion exclusive, de son autorité, de son côté caïd.

Elle le sait mais elle rue dans les brancards. Souvent il est obligé de courir tout Pigalle pour la retrouver. Édith connaît les forces mauvaises qui sont en elle.

« Garde-moi, et je te jure de t'obéir en tout et pour tout. Je ne veux plus retourner dans la rue et je n'arriverai jamais à m'en sortir toute seule : j'ai trop de mauvais en moi et ce mauvais, je ne l'entends jamais quand tu es là. »

Elle jure... et elle se sauve.

Mais elle travaille... elle progresse. De toute façon elle est si forte, si instinctive ! Elle a reçu sur son trottoir le don de la musique comme rarement il fut donné. « Piaf, dira Pierre Hiégel qui l'a connue lorsqu'elle avait treize ans, c'était une artiste totale, complète et absolue, mais elle ne le savait pas. Professionnellement, elle est sûrement ce qui a existé de plus étonnant depuis que le music-hall existe. »

Elle est si forte que très vite elle dépasse son maître. Mais ces deux années de discipline sont sans aucun doute la clef de voûte du talent d'Édith et de cette exigence dans le travail qui fut d'une telle intensité chez elle. Asso la remet sur pied physiquement, mais les drames ne manquent pas entre eux. De Chenevelles, en 1938, Édith lui écrit :

« Mon pauvre mamour, comme tu dois souffrir pour m'écrire d'aussi vilaines choses, mais tu as raison, je suis bête, je te l'ai toujours dit, c'est toi qui as voulu me convaincre que j'étais intelligente. D'ailleurs faire toutes les bêtises que j'ai faites avant de te connaître prouvait toute mon inintelligence, et il est bien temps de pleurer comme je pleure pour les êtres que j'ai rendu malheureux... Mais tu vas trop vite pour me dire toutes les choses que tu m'as dites et je me dégoûte et je n'ai plus confiance en moi. »

Bien entendu, les insultes d'Asso sont encore des mots d'amour; mais Édith, qui passera sa vie à chanter ses amours malheureuses, supporte mal cette passion exclusive.

Une fois de plus la guerre – celle qui avait éloigné le père Gassion –, la guerre éloigne Asso. Il est mobilisé le 4 août 1939. Il doit rejoindre à Digne un régiment de territoriaux, la veille d'un tour de chant qu'il avait organisé pour Édith à Deauville.

Édith vient de triompher à *Bobino*, cette fois dans un répertoire dont toutes les paroles sont d'Asso. C'est la plus longue lettre d'amour qu'il lui ait écrite.

« Je savais que je fabriquais quelque chose de monumental », pleurera Asso trente ans après l'avoir perdue.

Lorsqu'il revient démobilisé quelques mois plus tard, Piaf a repris goût à sa fabuleuse indiscipline. Elle a installé Momone à l'hôtel Alsina, dans la chambre d'Asso, puis elle y a amené Paul Meurisse, le successeur d'Asso. Paul Meurisse, après avoir été la lettre G de l'alphabet, entouré de huit Blue Bell Girls dans « La revue du Rire » à l'*A.B.C.*, dont Marie Dubas était la vedette, donnait un tour de chant à *L'Amiral*, boîte voisine du *Night-Club* où chantait Édith.

Toujours ivre d'indépendance, elle a retrouvé ses quinze ans. Maintenant qu'elle est célèbre, qu'elle a un métier, elle veut rire et s'amuser ; car on ne doit jamais oublier que, si elle chantait la misère, il y avait chez Piaf une profonde gaieté, une envie de faire des bêtises, des farces, des folies, celles d'une enfance qui vous a été refusée !

En pleine Occupation elle jouera à saute-mouton, ivre-morte, avec Momone, à six heures du soir, avenue Carnot. Elle cherchera — toujours avec son « ange noir » — la rue la plus longue de Paris pour entrer dans chaque bistrot et offrir une tournée. Elles finiront par descendre la rue de Belleville à quatre pattes. Elles sont déchaînées. Piaf, qui chantera vingt ans plus tard :

> *Si un jour tu partais*
> *Partais et me quittais*
> *Me quittais pour toujours*
> *Pour sûr que j'en mourrais*
> *Que j'en mourrais d'amour* *,

liquide Asso, son troisième père, après le contorsionniste-antipodiste, après Louis Leplée.

La petite fille des rues, aux yeux de myosotis bleu est implacable.

* *Les Mots d'amour*, 1960. Paroles de Michel Rivgauche, musique de Charles Dumont. Nouvelles Éditions Méridian, 5, rue Lincoln, Paris 8ᵉ.

# 5

# Cocteau

« Un magnifique gigolo au bord de ne plus l'être. »
Jean Cocteau du personnage du *Bel Indifférent*

« Elle parlait peut-être de la mort avec Cocteau. Ils se télé-
phonaient tous les jours mais je n'écoutais pas. »
*Théo Sarapo*

« Madame Édith Piaf a du génie. Elle est inimitable. Il n'y
a jamais eu d'Édith Piaf, il n'y en aura plus jamais. »
*Jean Cocteau*

« Ton visage que par cœur mes mains veulent apprendre. »
*Jean Cocteau*

« Elle a trouvé des chansons qui respiraient à une certaine
hauteur mais qui étaient quand même populaires. »
*Paul Meurisse*

Edith Piaf - son agent de publicité ne veut plus qu'on l'appelle
la "Môme"- enregistre, devant son affiche au studio,
sa dernière création, *Simple comme bonjour.* (Ph. Charmet)

Édith est devenue en quelques mois la coqueluche des « intellectuels ». Cocteau, bouleversé par elle, vient l'entendre très souvent. Entre eux naît une émotion véritable. « Lui apprendre à lire, disait Cocteau, pas besoin, elle sait déjà ce qu'elle lit. » Ils mourront le même jour et l'on s'étonnera « de la foule à l'enterrement de la chanteuse et du désert à celui du poète ». Cocteau, lui, ne s'en serait pas formalisé. Ils aimaient les mêmes mots. Écoutons-le parler d'elle avant de la voir tomber dans les bras de Paul Meurisse.

« Regardez cette petite personne dont les mains sont celles du lézard des ruines. Regardez son front de Bonaparte, ses yeux d'aveugle qui vient de retrouver la vue. Comment chantera-t-elle ? Comment s'exprimera-t-elle ? Comment sortira-t-elle de sa poitrine étroite les grandes plaintes de la nuit ?...

« ... Et voilà qu'une voix qui sort des entrailles,

une voix qui l'habite des pieds à la tête, déroule une haute vague de velours noir. »

Piaf joue *Le Bel Indifférent* de Jean Cocteau avec Paul Meurisse, mobilisé lui aussi. Piaf, à qui rien ne fait peur, écrit au ministre de la Guerre pour que Meurisse puisse jouer le soir de la générale. Elle obtient dix jours de sursis pour son amant. Il est vrai que l'enveloppe était jolie : « A remettre en mains propres à Monsieur le Ministre de la Guerre, de la part de Madame Édith Piaf. »

Elle est prodigieuse dans *Le Bel Indifférent*. Paul Meurisse est injuste. « Piaf était une très mauvaise comédienne. De Gaulle n'était pas un chanteur mais il chantait très bien *La Marseillaise. Le Bel Indifférent*, c'était *La Marseillaise* de Piaf. »

Il est de meilleure foi lorsqu'il parle de la chanteuse.

« Sa voix, c'était un cri d'amour. Ses mains : posées le long du corps sur le fond noir de sa robe, leur finesse égalait la perfection. Sa foi : elle irradiait comme sortie d'un tableau du Greco. »

Paul Meurisse, fils d'un directeur de banque, était d'une famille bourgeoise d'origine flamande qui avait fini par s'installer à Aix-en-Provence. Il avait été clerc de notaire mais après avoir vu Rudolph Valentino dans *L'Aigle noir*, il sut qu'il avait à jamais basculé dans le monde du spectacle.

Il s'égara dans la chanson quelques années avant de devenir un grand acteur.

Il la « quimpe * » dans le cabaret où elle chantait. Paul Meurisse est alors un beau garçon, sorte de mélange de Rudolph Valentino (son idole) et de Buster Keaton. Il a aussi un côté « voyou distingué » qui charme Édith.

« A vingt-cinq ans, dit-il, Édith avait un visage très pur, un petit nez, elle était très jolie. »

Avec lui, Édith connaît sa première aventure au champagne. Il la fera descendre de Montmartre à l'Étoile. Elle quittera l'hôtel Alsina, où elle vivait avec Asso, pour un appartement – son premier appartement –, 10 *bis*, rue Anatole-de-la-Forge. Il tentera de lui apprendre les belles manières et ils se disputeront comme des chiffonniers. Elle brisera plusieurs fois toute la vaisselle, il piétinera une radio. Chaque fois qu'Édith craint d'avoir trouvé son maître, elle se débat comme une forcenée. Elle résiste à toutes les prisons de l'amour. Il lui suffit de chanter l'amour.

Les journalistes délirent devant Piaf. Tout au long de sa vie, elle aura fasciné la critique. Voici ce que l'on écrit dans *Comœdia* à propos du *Bel Indifférent* :

« Elle joue comme on meurt, peut-être sans savoir qu'elle le fait bien... Le grand talent de Piaf, c'est l'amour... Avec ses cheveux fous de femme de

---

* « Quimper » : littéralement, tomber. (*Le Petit Simonin illustré.*)

ménage de l'enfer, son petit corps vêtu du noir des démons, Piaf est une prêtresse de l'amour. »

Prêtresse de l'amour! Partout, sauf à la maison. De son aventure avec Meurisse émergent une série d'anecdotes qui font partie du folklore « Piaf et les hommes ». « Pour moi, l'amour c'était de la bagarre, des gros mensonges et des paires de claques. »

Meurisse n'en peut plus! Une nuit, après que Tino Rossi les eut réconciliés, en pleine Occupation – il n'y a pour ainsi dire pas de voitures dans Paris –, Édith se débat comme une sauvage dans le fiacre qui les ramène rue Anatole-de-la-Forge. Il l'allonge sur le sol et la piétine pour pouvoir payer le cocher.

Pendant la nuit, Piaf lui dira : « Tu as des façons de me monter dessus qui ne manquent pas d'éclectisme. »

En 1937, Piaf avait déjà joué un petit rôle dans *La Garçonne* de Jean de Limur, aux côtés de Marie Bell. C'est pendant la période Meurisse que Georges Lacombe lui propose de jouer dans *Montmartre-sur-Seine*, aux côtés de Jean-Louis Barrault, Serge Reggiani, Georges Marchal et Paul Meurisse. Le tournage du film – au demeurant fort médiocre – prolongera son aventure avec Meurisse de quelques semaines.

Le scénario écrit par Cayatte racontait l'histoire d'une petite fleuriste qui devenait une grande vedette. Le film devait traiter de la gloire montante de Piaf. Il n'eut aucun succès, mais fut l'occasion de la rencontre de Piaf avec un autre poète, Audiberti, qui était le critique cinématographique de *Comœdia* à cette époque-là.

Si Audiberti – qui ne l'avait jamais vue – parle de son anatomie de « fourchette à huîtres », il salue en elle « l'une des plus déchirantes vocifératrices de la grandeur et de la détresse de vivre...

« Le démon du cinéma s'écarte poliment pour laisser passer la merveille qui n'est pas de la famille, la cadence villonienne de cette porteuse de pain orphique, de cette marchande de ronces, de cette femme de ménage. Édith Piaf qui sait faire brûler le ténèbre du peuple. »

Tandis que Lucien Rebattet, lui, écrit dans *Je suis partout* que « bien que sa trivialité ait le mérite de ne pas être une contre-façon du ghetto, il ne s'explique pas qu'on lui impose la vue du physique souffreteux de cette petite personne aux yeux caves, à la grosse tête macabre rentrée dans des épaules voûtées ».

Nous sommes en pleine Occupation et les clichés nazis traînent dans les rues grises d'un Paris occupé.

Edith Piaf en 1945. (Ph. Charmet)

# 6

# Les guerres et les bordels

« Chaque fois qu'elle faisait un boucan d'enfer, les voisins se plaignaient. C'est Mademoiselle Piaf qui répète. Ah bon! Ils ne disaient rien. »

*Billy*

« Elle n'a jamais vraiment su au juste ce qu'elle voulait. »

*Billy*

« Quand elle chantait une chanson, c'était une tout autre Édith. »

*Billy*

Edith Piaf et Tino Rossi. (Ph. Sygma / Vassel)

C'est le moment où entre dans la vie de Piaf Andrée Bigard qui fut sa secrétaire de 1940 à 1950 et qui eut sur elle l'influence la plus bénéfique.

« C'est Bigard qui lui a appris les bonnes manières », dit Billy qui tenait encore il y a quelques mois sa « maison » rue Paul-Valéry.

Dans sa vie, Piaf a connu deux guerres et deux bordels. D'abord celui de la grand-mère de Bernay, où elle vivra heureuse jusqu'à l'âge de sept ans. Dix-neuf ans plus tard, elle sonnera chez Billy, qui tient une maison rue de Villejust. Elle y logera avec Bigard jusqu'à la Libération.

Billy est toujours une femme superbe, aux yeux de porcelaine bleue, brillants de malice. Elle me montre ses registres de police : Édith a vécu chez elle de 1942 à 1944.

« Vous vous souvenez de la première fois que vous avez vu Piaf ?

— Si je m'en souviens ! Elle m'a volé six paires de chaussures. »

En vérité c'était Momone qui était partie revendre à Pigalle les cinq paires de chaussures en crocodile de Mme Sée, l'associée de Billy, qui n'est jamais rentrée de déportation.

La rue de Villejust n'est pas loin de la rue Lauriston ; mais Billy, si elle fait du marché noir et si elle ne manque pas de « visites » allemandes, cache des Juifs et les biens d'amis juifs.

Piaf est déjà la grande Piaf.

Billy lui a loué tout le troisième étage, où elle vit avec Bigard et Momone, quand celle-ci ne fait pas de fugues en vidant les armoires d'Édith.

Il y a au n° 3 un chanteur raté, amoureux fou d'Édith, qui s'endort le soir avec une croix sur la poitrine en priant : « Mon Dieu, faites de moi le Piaf homme. »

Parfois Piaf descend les trois étages de l'escalier sur les mains, sa robe passant par-dessus la tête. « Sûr qu'elle avait fait de l'acrobatie avec son père ! »

Elles font des farces avec Momone. « C'est son maquereau », dit Billy.

Un matin, en pleine Occupation, on vient prévenir Billy qu'il y a deux jeunes filles nues à la fenêtre du troisième étage et que tous les passants les regardent.

Billy monte les escaliers quatre à quatre et trouve

en effet Piaf et Momone, les bras en croix devant leur fenêtre.

« Mademoiselle Édith, vous n'êtes pas raisonnable, gémit Billy. Tout le monde peut vous voir de la rue.

– Billy, ne vous fâchez pas, j'ai fait quelque chose de mal et je me suis punie. Il faut que je reste cinq heures comme ça. »

Billy finit par avoir gain de cause. Momone et Édith restent toutes nues, les bras en croix, mais derrière les persiennes fermées.

Quand Piaf a connu Billy, elle aimait croquer de l'ail et jouer aux dés. Andrée Bigard se souvient encore aujourd'hui de l'odeur d'ail qui envahissait la chambre lorsqu'elle entrait pour ouvrir les volets.

Bigard, petite femme énergique et intelligente, acheta son premier soutien-gorge à Édith en 1940. Pour Édith, c'était un carcan, une prison, et, chaque fois qu'elle saluait le public, les mains derrière son dos, comme une écolière, elle le dégrafait.

« Un jour, sourit Bigard, elle l'a oublié... »

Durant tout le séjour de Piaf rue de Villejust – qui s'appelle maintenant la rue Paul-Valéry – il y a un piano au salon, et un autre au troisième étage, dans la chambre de Piaf. Piaf peut s'épanouir, à l'orée de sa seconde célébrité, dans la marginalité qui lui est nécessaire.

D'ailleurs elle vient de trouver le truc pour tout exorciser, le truc qu'Asso partant pour la guerre lui a laissé comme cadeau : le travail. Si elle ne travaille pas comme une forcenée, elle se damne. Piaf ne demande que ça. Elle est aussi masochiste que perfectionniste.

Billy me montre une porte vitrée à travers laquelle Asso a fait passer Piaf. « Elle ne comprenait que ce langage-là : les coups. »

« Il fallait qu'elle soit domptée », poursuit Billy, qui se souvient d'un grand dîner où il y avait Michel Simon, Cocteau et Henri Contet – qui était à cette époque-là le « favori » de Piaf et qu'elle avait connu pendant le tournage de *Montmartre-sur-Seine*. Il était l'attaché de presse du film et journaliste à *Ciné-mondial*. L'atmosphère était très tendue, Piaf infernale. Billy glisse à l'oreille d'Henri Contet : « Va donc un peu flatter son vice pour qu'elle ne nous gâche pas notre soirée. » Ils redescendent dix minutes plus tard. « Il lui avait foutu une trempe, sourit Billy. Elle avait les joues toutes roses. Elle était gaie, contente, gentille. »

Le mari de Billy – qui s'appelle Josselin – est un artiste, lui aussi. Il part souvent en tournée avec Édith. Juste avant d'entreprendre une tournée de trois mois en zone sud, Édith dit à Billy :

« Billy, il faut que je vous parle.

– Je vous écoute, mademoiselle Édith.

– Eh bien voilà. Nous partons en tournée pour trois mois. Je voudrais que cette fois-ci votre mari soit tout à fait à mon service. Vous voyez ce que je veux dire? Aussi bien le jour que la nuit. Je vais vous remplacer. Je ferai de lui une vedette. Vous avez quarante-huit heures pour me donner la réponse.

– C'est tout réfléchi, répond stoïquement Billy. C'est non, mademoiselle Édith. »

« J'ai peut-être eu tort, soupire-t-elle trente-cinq ans plus tard. Elle en a tellement lancé, des bonshommes! »

Piaf est comme un poisson dans l'eau chez Billy. Elle fait la folle à dix heures du soir en chantant du Fauré et puis, vers deux ou trois heures du matin, elle convoque son pianiste ou son accordéoniste « pour travailler ». C'est pour chasser ses terreurs de la nuit que, jusqu'à sa mort, elle a exercé cette tyrannie nocturne.

Piaf a tant de fantômes à exorciser! Est-ce à Bernay ou à Pigalle qu'elle a découvert son goût pour les macs, qui la poursuivra jusqu'à la fin? Il est vrai qu'à vingt ans, pour la petite fille des rues qu'elle était, le milieu a été une promotion sur la misère. Toute sa vie, Piaf sera fascinée ou fera semblant d'être fascinée par les voyous et attendrie par les putains. « Je lui ai donné mon manteau de fourrure. Avec le métier qu'elle fait, elle en a plus besoin que moi. »

Attendrissement. Identification. Chez elle, tout est

compliqué. Elle joue à la putain. Elle force les gens à la plaquer. En vérité, c'est elle qui les quitte. Elle est toujours l'envers d'une victime et elle la chante :

*Elle fréquentait la rue Pigalle*
*Elle sentait l'vice à bon marché*
*Elle était tout'noire de péchés*
*Avec un pauvre visage tout pâle *.*

La fatalité n'a frappé Piaf que dans son enfance. Plus tard, elle est devenue sa propre fatalité. Et, mourante, lorsqu'elle disait à son infirmière : « Je les paie cher, mes conneries », elle avait raison.

* *Elle fréquentait la rue Pigalle*, 1939. Paroles de Raymond Asso, musique de Louis Maitrier. Éditions musicales Paul Beuscher, 27, bd Beaumarchais. Paris 4ᵉ.

# 7

# L'Occupation

« *Le Fanion de la Légion* fait partie de mon tour de chant. Si vous voulez que je ne le chante pas, il faut me l'interdire. »

*Édith Piaf*

A la Libération, elle dit : « Vous ne savez pas ce que je voudrais ?
Je voudrais voir un lâche. »

*Édith Piaf*

Piaf assiste au spectacle pendant la tournée en Allemagne.
(Ph. Keystone / Sygma)

La guerre fut une période de plénitude pour Piaf.

Sans doute ne fut-elle jamais plus drôle, plus sûre de ses moyens et dans une meilleure forme physique.

Grâce à Henri Contet, elle travailla beaucoup. Elle changea de genre; elle progressa. Sa manière à elle de résister fut d'avoir un amant juif, le pianiste polonais Norbert Glanzberg, qui eut une réelle influence sur sa connaissance de la musique et qui la battait comme plâtre, selon les rites! Elle aida Michel Emer, juif lui aussi, et qui composa pour elle l'*Accordéoniste* avant de partir pour la drôle de guerre.

Piaf était très apolitique, et c'est en titi parisien qu'elle réagissait à l'occupant allemand.

*Moi, Hitler, j'lai dans l'blair...*
*Et je peux pas l'renifler*

*les nazis ont l'air d'oublier*
*qu'c'est nous dans la bagarre qu'on les a*
*[zigouillés *.*

C'est une chanson qu'elle chantait en 1936!
La plupart des chanteurs et des comédiens – s'ils
n'étaient pas juifs – continuèrent de travailler sous
l'Occupation; et à part un très petit nombre d'entre
eux, manifestement trop liés avec les Allemands,
très peu furent jugés à la Libération.

L'apolitisme de Piaf était profond mais son
magnétisme sur les foules était illimité. Invitée en
1936 à un meeting pacifiste antifascite, la foule en
délire l'acclama et lui réclama *Mon Légionnaire.*

En plein Front populaire, c'est *La Misère de la
Butte, La Java de cézigue* et *Mon Amant de la Coloniale* qu'elle chantera. Pour Piaf, le malheur, c'est le
malheur de la naissance, le désespoir d'amour, ce
sont les marins qui ne reviennent pas et le légionnaire qui meurt pour une France tricolore. Elle se
vautre dans la fatalité, la misère, et résiste sournoisement au moindre engagement.

Piaf a toujours refusé la chanson politique – si ce
n'est *La Carmagnole* dans un film de Sacha Guitry.
Elle aime chanter l'armée, les grognards, les marins.
Elle est passée de l'enfant qui a faim à la femme pla-

* *Il n'est pas distingué*, 1936. P. Maye, M. Hély, Éditions Sala-
bert, 22, rue Chauchat, Paris 9e.

quée, mais n'a jamais voulu que la société en fût responsable.

René Rouzaud, l'auteur de *La Goualante du pauvre Jean*, et qui fut aussi un des grands paroliers de Montand, disait de Piaf :

« Elle chantait un monde révolu. Elle chantait en les renouvelant tous les poncifs et tous les héros de feuilleton. Elle proposait l'évasion, les passions et la fatalité. Piaf appartenait au monde de la cloche. Elle ignorait le prolétariat. Elle le respectait mais le craignait en même temps. Certes, elle conférait à ses personnages une grandeur hors série, qu'il s'agisse du légionnaire, du matelot ou de la fille de joie. Mais aujourd'hui le légionnaire exige un contrat bien payé pour casser du nègre, le matelot est syndiqué et la putain que Carco payait quarante sous exige dix mille balles pour un petit moment ! Les légendes sont mortes. »

En 1940, Piaf devient la marraine d'un stalag : le Stalag III. Grâce à sa secrétaire Andrée Bigard qui est une authentique résistante, elle accomplit quelques actes héroïques avec l'inconscience absolue qui est la sienne.

Ensemble, elles aideront les prisonniers à s'évader en les faisant passer pour des membres de l'orchestre d'Édith.

Tout est organisé très minutieusement par Andrée Bigard.

Au premier voyage : opération séduction. Elles apportent aux gardiens du camp – hommes et femmes – des conserves, du cognac et des bas de soie.

Andrée Bigard bavarde avec les prisonniers et leur demande quelques adresses « afin de donner des nouvelles à leurs familles ».

Édith chante. Elle obtient chaque fois un triomphe. Les Allemands eux-mêmes sont transportés. Les prisonniers demandent l'autorisation d'être photographiés avec leur « marraine ».

De retour à Paris, Andrée Bigard fait agrandir les photos et confectionne de fausses cartes d'identité pour les prisonniers qui lui ont donné leur adresse.

Au cours du second voyage, elles apportent les fausses cartes d'identité cachées dans des boîtes de conserve, et les prisonniers qui les attendent dans la nature montent dans le train avant la frontière. Aux Allemands qui procèdent à un contrôle Édith déclare que ce sont des musiciens de son orchestre. Andrée Bigard fit ainsi s'évader son propre mari.

Une fois encore, Piaf – comme dans tout ce qu'elle entreprend – court après son enfance, court après l'enfance qu'elle n'a pas eue. Faire évader les prisonniers, c'est une façon de jouer à cache-cache.

Momone disparaît et réapparaît épisodiquement dans la vie de Piaf. Elle aussi court après son enfance, mais d'une manière beaucoup plus diabolique. Son problème à elle, c'est de ne pas être Piaf, et son obsession (rapport classique amour-haine), c'est de la faire « tomber » d'une manière ou d'une autre.

Tous les moyens lui sont bons. Lorsque Édith tente de ne plus boire et décide qu'il n'y aura plus une goutte d'alcool à la maison, Momone-la-démoniaque cache une bouteille de cognac dans la chasse d'eau et le dit à Édith. Édith est la personne au monde la plus facile à faire flancher. Tous ses ennemis l'ont toujours su.

De plus, Momone, qui a plus d'un tour dans son sac, est très drôle. Personne ne sait faire rire Édith comme elle.

Momone a bien entendu ses entrées chez Billy. Elle y vient très souvent – même lorsque Piaf n'est pas là – et Bigard découvre parfois que de l'argent ou des vêtements ont disparu. Édith, elle, feint de ne pas s'en apercevoir.


Pendant l'Occupation, toutes les chansons de Piaf – et celles des autres chanteurs – étaient soumises à la censure. Bigard avait donc des rapports directs avec ces messieurs. Un après-midi où elle est sortie faire des courses, elle trouve, en rentrant, Tchang, leur cuisinier chinois, complètement affolé :

« On est venu arrêter Mademoiselle !
– Qui ça ?

– Les Allemands. »

Bigard comprend immédiatement qu'il y a du Momone là-dessous. Elle téléphone aussitôt à ses « amis » de la censure et parvient très vite à localiser Édith. Elle se rend à l'endroit indiqué et se présente comme la secrétaire de Mlle Piaf. Elle trouve Édith, les yeux rieurs, assise en face de deux officiers de la Gestapo. Édith lui lance :

« Dédé, vous me dites toujours que je ne serai jamais riche ! Eh bien, vous vous trompez ! J'ai un bateau à Marseille et je fais passer des beaux garçons en Angleterre. »

Sans se départir une seconde de son calme, Bigard fournit aux officiers de la Gestapo le détail des tournées d'Édith en zone sud et leur donne la preuve qu'elles ne passaient pas par Marseille. C'était tout ce qu'ils voulaient savoir.

Édith les invite à venir l'écouter le soir même au *Perroquet*, où elle donne son tour de chant. Ils acceptent, ravis.

Pour Bigard – c'est évident – Momone a fouillé sa chambre et découvert des papiers compromettants, et...

Édith ne veut pas en entendre parler.

# 8

# Montand

« Je l'ai appelée un jour. J'avais écrit une chanson pour Chevalier :
*Ma Gosse, ma petite môme.* Elle a pleuré au téléphone. Garde-la pour Yves, je t'en supplie. Ne la donne pas à Chevalier. »

*Henri Contet*

« Elle avait besoin d'amour : elle ne chantait bien qu'exaltée ou brisée.

En amour c'était la femme la plus pure, la plus simple : elle faisait sa prière avant de se coucher. Vous n'imaginez pas Messaline faisant sa prière en chemise. »

*Yves Montand*

Au bal des Petits Lits Blancs en 1948,
Edith Piaf et Yves Montand avant leur tour de chant. (Ph. Keystone)

Montand, fils d'émigrés italiens, travaille à Marseille depuis l'âge de treize ans. Dans une usine de pâtes alimentaires d'abord, puis comme docker aux Chantiers de la Méditerranée.

Le dimanche, quand il ne se produit pas dans des galas populaires, sa sœur coiffeuse essaie sur lui un appareil à indéfrisable dont il reçoit les premières décharges.

Il adore les chansons de cow-boy qu'a écrites pour lui un compositeur aveugle : Charles Humel. Il est fasciné par Fred Astaire et Charles Trenet. Et il connaît à Marseille un honnête succès.

C'est en février 1944 qu'il monte à Paris et passe à l'*A.B.C.*, où il se fera traiter de zazou à cause d'une veste à carreaux que Piaf plus tard lui fera (rapidement) enlever.

Quand Montand arrive à Paris, Piaf est déjà une « étoile », et, en petit caïd romano-marseillais, il n'est pas décidé à plier l'échine devant une femme, fût-elle la grande Piaf.

Pourtant, il devra « lever le torchon » au *Moulin Rouge* dans un spectacle dont elle est la vedette et où c'est à elle de décider.

Leur affrontement est surprenant. Elle reconnaît d'une manière foudroyante – et c'est bien là que réside le génie de Piaf – le Montand qu'il deviendra, mais elle ne va pas lui mâcher ses mots. Elle le décortique avec une lucidité implacable.

Elle lui démontre que ses « américanades » n'ont de poids que parce que les Allemands sont encore là mais que, lorsqu'ils seront partis, les Français n'auront que faire des cow-boys et des marchands de saucisses de Central Park.

Puis elle regarde ces mains qui la font déjà rêver.

« Ce sont des mains de travailleur. Elles viennent du peuple et il faut que le peuple le sache. »

Montand baisse la nuque. Il a trouvé son maître.

Piaf l'oblige à travailler pendant des heures avec un crayon dans la bouche pour lui faire perdre son accent. Elle va lui distiller tous ses secrets car, si Piaf est incroyablement dominatrice dans le travail, elle est aussi d'une très grande générosité.

Pour la première fois, elle va se heurter à un être qui est de sa race. Quelqu'un qui a autant d'ambition qu'elle, autant de courage et d'obstination.

Leur rencontre sera explosive.
Édith tigresse ? Édith Pygmalion !
Amoureuse de Montand ! Triomphante !
Pour la première fois, elle fait chanter son corps sur scène. Elle ne veut pas seulement que ses amours soient connues. Elle veut qu'elles soient célébrées, et c'est elle qui écrit les mots d'amour qu'il lui dira devant les autres.

> *Elle a des yeux*
> *C'est merveilleux*
> *Et puis des mains*
> *Pour mes matins*
> *Elle a des rires*
> *Pour me séduire*
> *Et des chansons...*
> *Il y a elle*
> *Rien que pour moi*
> *Enfin... je le crois \* !*

Rien que pour moi ! Pas pour longtemps.
Montand, naïf, heureux, lui raconte dans l'extase ses séances de travail au cinéma. Il vient d'être engagé dans *Les Portes de la nuit* que tourne Marcel Carné. Il lui décrit le film plan par plan. Elle hurle d'ennui.
Mais la vérité est autre. C'est Piaf chanteuse qui

---

\* Chanson écrite par Piaf pour Yves Montand (1945).

devient jalouse de Montand chanteur. A Lyon, c'est lui qui « ramasse » tout. Il est fou de joie et inconscient. « Dans mes tournées avec Yves, avoue-t-elle à René Rouzaud, il levait le rideau et je finissais le spectacle. Il raflait tout le succès et j'ai dû porter ma croix jusqu'au bout tous les soirs. »

Au retour d'une tournée en Alsace, elle est revenue avec un Compagnon de la Chanson, elle a fermé sa porte à Montand avec la dureté dont elle a le secret.

Montand pleura vraiment. Il riait avec elle. Il l'admirait. Il ne s'y attendait pas et peut-être aussi qu'il l'aimait... Mais cette petite femme démesurée avait décidé, cette fois-ci, de « pygmalionniser » neuf garçons, *les Compagnons de la Chanson*. Elle voulait les couper de leur folklore comme elle avait arraché Montand à ses cow-boys. Piaf voulait toujours avoir raison.

*9*

# Les Compagnons de la Chanson

« Piaf était une dompteuse. »
*Pierre Hiégel*

(Ph. Charmet)

Dans la vie de Piaf, il y a toujours la petite sœur Thérèse... et toujours un homme !

Lorsque Piaf abandonne Montand sur le paillasson de la rue de Berri, c'est parce qu'elle est revenue de sa tournée en Alsace avec « quelqu'un ». Ce quelqu'un, c'est Jean-Claude Jaubert, un des Compagnons de la Chanson.

Le mécanisme est toujours le même chez Piaf. Elle s'intéresse à quelque chose à cause de quelqu'un. Cette fois-ci, à cause de l'un d'entre eux, elle va s'intéresser aux Compagnons de la Chanson. De plus, Édith a suffisamment le sens de sa légende et le sens du comique pour savoir que son « public » sera enchanté de la voir aimer neuf hommes à la fois ! Rien n'est assez grand pour elle ! Rien n'est assez fou pour elle ! Édith-Barbe-Bleue demande conseil à la petite sœur Thérèse. Notre Seigneur avait bien douze compagnons !

C'est pendant la guerre qu'elle les a entendus

chanter pour la première fois. Au-delà de leur côté boy-scout, elle avait discerné leur talent. Elle leur donna quelques conseils qu'ils n'eurent aucune envie de suivre.

Mais Piaf ne renonçait jamais !

Un soir, à Lausanne, dans le cabaret *Le Coup de Soleil*, elle entend une chanson qui la frappe au cœur : *Les Trois Cloches*. Gilles, l'auteur – et le patron du cabaret –, la lui donne. Édith sent que c'est une chanson qu'elle ne doit pas chanter seule. Elle la propose aux Compagnons de la Chanson qui refusent catégoriquement.

« Et si je la chantais avec vous ? » suggère Édith l'obstinée. Les Compagnons de la Chanson, stupéfaits, la regardent.

Ils sont tout de même conscients de leur chance et ils commencent à travailler ensemble. Piaf chante tout d'abord en sourdine comme elle le fera plus tard avec Charles Dumont. Les Compagnons ne sont pas encore très enthousiastes ; mais un jour, Cocteau vient les écouter, leur jure qu'ils sont « sublimes » et ils commencent enfin à croire aux *Trois Cloches*.

Pour chanter avec eux, pour la première fois de sa carrière Édith se transforme physiquement et les rejoint dans une robe longue, bleu pâle. Elle ressemble à une première communiante égarée dans un troupeau d'hommes, mais elle a gagné la partie. Encore quelque chose de rattrapé sur son enfance !

*Les Trois Cloches* font un triomphe. Les disques se vendent dans le monde entier à plus d'un million d'exemplaires. En Amérique Jean-François Nicot s'appellera Jimmy Brown et *The Jimmy Brown Song* fera un triomphe.

Édith leur donne aussi *La Marie* qu'André Grassi avait écrit pour elle. Ils obtiennent le Grand Prix du disque, et sont bien obligés d'avouer que leur Pygmalion a souvent raison.

Elle les convainc de moderniser leur répertoire. Ils ont capitulé. Elle est très joyeuse.

Édith avait reçu, un an plus tôt, un accueil étonnant à New York. Elle décide d'y emmener ses neuf poulains.

Piaf part pour les Etats-Unis en 1945. (Ph. Keystone)

# 10

# Love story
# avec l'Amérique

« La statue de la Liberté, La Fayette, Chevalier, Dior, le parfum et Piaf, voilà de bonnes exportations. Les gouvernements vont et viennent en France mais Charlot de Gaulle pourra toujours compter sur cette petite femme en robe noire qui fait partie de la Vᵉ République et successeurs autant que la Rive gauche. Il devrait l'inclure dans sa famille politique et grâce à cela stabiliser son régime et valoriser le franc. »

*Variety*

« Faire une carrière en France où les gens parlent la même langue, me comprennent, c'est rien : c'est une carrière internationale que je vise. Les gens ne comprennent pas et tu les fais pleurer. »

*Édith Piaf*

« Les étudiants de la Columbia University demandent à Piaf de chanter *L'Accordéoniste* devant la statue de la Liberté, et à San Francisco les marins du *Jeanne-d'Arc* lui présentent les armes. »

*France-Soir*

« Il faut en effet tout le grand talent d'Édith Piaf pour faire acclamer un répertoire aussi profondément étranger à l'optimisme américain et qui provoque ce mot d'un chroniqueur juif écrivant dans un journal de New York après son passage au *Constitution Hall* : « Avec Piaf, c'est yom kippour tous les jours. »

*Henri Pierre*
*Le Monde*

Edith Piaf et "les Compagnons de la Chanson" quittent Paris à destination du
Havre où ils s' embarquent pour les Etats-Unis gare Saint-Lazare ; ils
empruntent le petit train à bagages
pour se rendre à leur compartiment. (Ph. Keystone)

Maintenant commence l'étrange histoire d'amour entre Édith et l'Amérique. Comme beaucoup d'histoires d'amour, elle commence mal !

Tout au long de sa vie, Piaf a suscité une critique fervente, voire irrationnelle : l'émotion provoquée par Piaf résistait presque toujours à l'analyse. C'était une sorte de cantate. « Une chanteuse populaire qui fait revivre la tragédie antique. » « Merveilleuse Édith, bouleversante Édith... » « Les chansons de Piaf, c'est la légende des siècles. » « Sa petite robe noire d'ouvreuse de rêve, ses mains en forme d'algue agrippées à sa jupe expriment à elles seules toute la douleur du monde. »

Lorsque, après la Libération, Édith prise de vertige décide de traverser l'Atlantique et de devenir une vedette internationale, c'est qu'elle a enfin digéré sa descente de Ménilmontant aux Champs-Élysées, sa conquête de la France, puis de l'Europe, et que la petite « Idiss » veut séduire l'Amérique.

Avec la générosité qui est la sienne, elle entraîne avec elle les Compagnons de la Chanson. Très souvent, au cours de sa carrière, Édith, qui fut une tigresse par ailleurs, pensa aux autres avant de penser à elle, ce qui la conduisit presque toujours à des insuccès. En effet, le folklore des Compagnons de la Chanson, qui lui déplaisait tant, eut un énorme succès en Amérique, tandis que Piaf essuyait son premier échec vraiment cuisant.

Cet échec s'analyse très clairement maintenant. Il est d'autant plus intéressant que, à force de travail, d'intelligence et d'obstination, Piaf devint plus tard l'idole de l'Amérique.

En vérité, quand Piaf se produisit à New York dans sa petite robe noire, les mains le long de son corps, elle parut aux Américains le contraire de la petite femme française « sexy » de leur mythologie. De plus, le public américain ne comprenait pas les paroles de ses chansons, et une sorte de « *maître de cérémonie* » – c'était un rite américain – résumait le contenu de chacune d'elles, désamorçant ainsi la charge d'émotion qu'elle communiquait toujours au public.

Son répertoire était sombre et les spectateurs voulaient de la bluette...

Mais Piaf ne s'avoua pas vaincue pour autant ! Avec sa combativité indomptable, elle décida d'apprendre l'anglais et de conquérir l'Amérique.

Elle le fit avec la complicité de son agent américain, décidé à relever le défi. Il loua pour elle le
cabaret le plus élégant de New York, *Le Versailles*.
A force de travail, d'intelligence et de talent, Piaf
retourna le public américain comme elle retournait
pratiquement tous les publics lorsqu'elle l'avait
décidé !

*Le Versailles* est lié au nom de Piaf comme les
tournesols à celui de Van Gogh. On fit surélever
pour elle la scène du cabaret. C'est du *Versailles*
qu'elle a envoûté l'Amérique. Les riches Améri-
caines, couvertes de diamants, lui baisaient les
mains après le spectacle comme à une sainte, comme
à une déesse. C'est au *Versailles* qu'elle continua son
spectacle le soir de la mort de Cerdan. Ceux qui
l'entendirent cette nuit-là ont cru entendre
quelqu'un chanter de l'au-delà. Et ce soir-là, devant
*Le Versailles,* une foule religieuse et vampirique à la
fois était venue contempler la douleur de « la reine
Piaf ». C'est au *Versailles* aussi qu'elle tituba, qu'elle
éprouva ses premiers malaises lorsque, après la mort
de Cerdan, elle commença à trop mélanger tranquillisants et excitants, lorsqu'elle se mit à boire trop de
bière ; c'est au *Versailles* que commença sa
déchéance et qu'elle se mit à marcher à quatre
pattes en criant « *I am a dog... I am a dog...* (Je suis
une chienne). »

Tous les jours, de Los Angeles et d'ailleurs, tous

les acteurs de Hollywood que la petite Édith admirait venaient l'applaudir : Henri Fonda, Orson Welles, Charles Boyer, Judy Garland, Sonja Henie, Bette Davis, Barbara Stanwick, Dorothy Lamour... et surtout Marlène, avec qui naquit cette étrange et très belle amitié. Piaf a conquis l'Amérique, qui ne l'a jamais oubliée.

# 11

# Piaf et Marlène

« Dans le petit bar, c'est là qu'elle règne.
On voit flamber sa toison d'or,
Sa bouche est comme un fruit qui saigne,
Mais on dit que son cœur est mort. »
*A l'enseigne de la fille sans cœur*
(paroles et musique de Gilles)

« Piaf portait autour du cou une petite croix en émeraudes
bénie par le pape, que lui avait offerte Marlène Dietrich. »
*Jacqueline Cartier*

Edith et Marlène ( le jour du mariage de Piaf avec Pills ) en septembre 1952.
(Ph. Keystone / Sygma)

La rencontre de Piaf et de Marlène est un réel coup de foudre partagé.

Marlène vient l'écouter à New York et la voix de cette petite femme en noir la fait frissonner comme elle avait frémi dans les bras de Gabin.

Piaf, qui a entendu pendant la guerre l'incroyable voix porteuse d'érotisme et de rêve, Piaf qui a fredonné chez Billy

*Ich bin von Kopf bis Fuss*

a, elle aussi, ce choc d'admiration et d'émotion, sentiment qu'elle se croyait vraiment incapable d'éprouver pour une femme. Elles tombent dans les bras l'une de l'autre. Elles s'attendaient depuis toujours.

Marlène et Piaf... La glace et le feu... La Noire et la Rouge... La vamp et la petite fille perdue. Mais ce sont aussi deux stars dont les voix déchirent les entrailles des hommes.

Marlène c'est l'Allemagne, Piaf c'est la France, et c'est en Amérique qu'elles se retrouvent. Marlène veut oublier qu'elle a été allemande et Piaf qu'elle a été une petite mendiante : il n'y a qu'à New York que ces choses-là sont possibles.

Les deux idoles se prennent par la main. Elles se ressemblent étrangement et c'est un de leurs secrets. Leur cruauté est à la mesure de leur physique. Marlène, dans ses chansons, est la femme implacable pour qui les hommes pleurent. Quant à Édith, elle est déchirée, abandonnée, meurtrie...

Elles ne se partageront qu'une chanson, *La Vie en rose*. Chanson qui ne ressemble ni à l'une ni à l'autre.

Le lien souterrain, magique, intime qui les lie, c'est qu'elles fascinent les soldats et les homosexuels.

Piaf avait peur, pendant la guerre, d'un ange blond qui l'attendait toujours, partout. Il s'agenouillait quand elle passait devant lui avant d'entrer dans sa loge.

« Ferme la porte, il me fout la trouille », disait-elle à Bigard.

Quant à Marlène, on raconte qu'elle déteste la ferveur équivoque de tous ces hommes qui ne peuvent aimer qu'elle.

Pourtant, dans toutes les boîtes homosexuelles du monde entier, la trinité féminine qui permet aux hommes de danser entre eux, ce sont les voix de

Marlène, de Piaf et de Marylin. Elles sont Notre-Dame des Homosexuels à trois têtes : Shiva, Vishnou et Krishna. Elles sont toutes les déchirures, toute la détresse du monde. Si elles donnent aux soldats et aux marins la force de mourir, elles permettent aux hommes de s'accepter. Qu'importe le malheur pourvu qu'on ait l'ivresse.

Et, lorsque Piaf crie dans leur nuit bleue :

*A la face des hommes*
*Au mépris de leurs lois*
*Jamais rien ni personne*
*N'empêchera d'aimer\**,

c'est l'absolution, c'est l'exorcisme, c'est la communion, c'est le partage.

L'amitié entre Piaf et Marlène fut réelle et dépourvue de la moindre ambiguïté. Elle fut plus vraie que toutes les amours que Piaf s'inventa. Marlène est venue quand Piaf détruite s'écroulait sur scène à Melun ; et, à l'enterrement de Piaf, le visage de Marlène ressemblait à celui de la Pietà d'Avignon.

Piaf se voulait immortelle. Sa voix la prolonge à jamais, sa voix qui traînera dans le monde jusqu'à la fin des temps, sa voix qui sera éternellement imitée parce qu'elle rend compte d'une vraie douleur. Son

* Le Droit d'aimer, 1962. F. Lai, R. Neyl. Olympia.

regard est éternel également, et éternelle, elle aussi, cette photographie où Marlène en manteau de vison, au sommet de l'image de sa beauté, est assise à côté de Piaf lumineuse dans sa petite robe noire. Elles regardent toutes les deux dans la même direction, vers le public, vers la vie, vers la mort.

Marlène mariera Piaf (avec Pills). Elle l'enterrera (avec le peuple de Paris). Aux côtés de Marlène, Piaf est entrée dans la société. Piaf voulait aussi être « intégrée » : c'est l'une de ses mille contradictions.

Piaf chante *les Trois cloches* avec "les Compagnons de la Chanson" dans une robe longue bleu pâle en avril 1948. (Ph. Keystone / Sygma)

Edith Piaf et Marcel Cerdan. (Ph. Keystone)

# 12

# Cerdan

« Ce que tu fais, Édith, est meilleur que ce que je fais. Tu leur apportes le bonheur et l'amour. »

*Marcel Cerdan*

« Je crois qu'il faut payer de larmes un véritable bonheur. »

*Édith Piaf*

Piaf entre Cerdan et Joe Louis. (Ph. Keystone)

Pour bien comprendre l'émotion provoquée par l'idylle de Piaf et de Cerdan, il ne faut pas oublier que, vivant, il n'aurait sans doute pas « tenu » plus que les autres. Il est important de démystifier cette histoire dès le début pour qu'elle conserve son poids de rêve, qu'elle demeure le cliché parfait dans la vie de Piaf, l'image d'Épinal de sa légende noire. Doublée par la mort, Piaf n'a pas eu le temps de plaquer Cerdan, et ils sont cloués l'un à l'autre pour l'éternité.

Piaf était seule à New York après son mini-échec auprès des Compagnons de la Chanson et avant de devenir « la reine Piaf » au *Versailles.*

Les Compagnons de la Chanson avaient signé des contrats pour une tournée dans toutes les grandes villes des U.S.A., et avaient abandonné leur petit chef à New York.

Mais Édith n'avait pas de temps à perdre à ce moment-là : quatre heures d'anglais par jour et la préparation de son tour de chant. Aussitôt qu'Édith apprenait, elle se transfigurait (encore l'enfance refusée). Son accent anglais devint superbe, comme l'était son accent allemand. Elle avait un don pour les langues et refusait de chanter à l'étranger si on ne lui traduisait pas ses chansons.

Cerdan téléphone un jour à Piaf. Ils s'étaient rencontrés une fois à Paris au *Club des Cinq*. Ils sont français tous les deux, à la une des journaux, idoles des Américains. Pourquoi ne dîneraient-ils pas ensemble ?

Piaf est ravie.

Un boxeur !

Ça va la changer agréablement de sa « clique » habituelle.

Ce qu'elle ne sait pas encore, c'est que cet homme simple, bon, naïf, inculte, cet homme qui parle avec ses mains, cet homme va faire battre son cœur comme il n'a peut-être jamais battu. Cela s'explique : c'est la première fois dans la vie amoureuse d'Édith qu'elle ne se trouve pas dans la position d'aider quelqu'un sur le plan professionnel. Ils sont à égalité.

Ils s'admirent mutuellement du fond de leur innocence.

Cerdan est bouleversé par ce qu'il sent derrière la voix d'Édith. Elle est chavirée par la bonté de cet homme.

Une nuit, il l'emmène à la foire à Coney Island. Ils s'amusent comme des gosses. Lorsqu'ils descendent du *scenic railway*, Cerdan est acclamé, puis Édith est reconnue et on la supplie de chanter *La Vie en rose*.

Piaf est devenue l'image de ce bonheur dont elle croyait qu'il lui serait toujours refusé.

C'est pendant la période Cerdan qu'Édith sera invitée à la table de la princesse Élisabeth, qui n'est pas encore reine d'Angleterre. C'est pendant cette période aussi qu'elle fera pleurer Charlot.

Dans les bras de son gentil pied-noir, la petite fille des rues, qui maintenant rêve même parfois en anglais, touche le ciel avec ses mains qui ressemblent encore à des étoiles de mer.

« Avec Marcel, dit-elle à Jean Noli, j'avais retrouvé mon équilibre. C'était un être simple, modeste, bon. Nous passions nos soirées comme des retraités. Il lisait des bandes dessinées *Mickey*, *Félix*, *Tarzan*. Il riait aux éclats. Moi, je tricotais des cache-nez. Dans la rue il ne fanfaronnait jamais. Il avait une patience chinoise avec tous ceux qui l'abordaient et qui lui demandaient des autographes *. »

Il apprend à Piaf – qui a ses moments d'agacement devant la foule – à respecter ces gens qui les ont rendus célèbres.

Mais son « pygmalionnisme » la reprend et elle force le pauvre Marcel à lire. Un jour, à New York,

* *Édith.* Jean Noli. Stock, 1973.

Michel Emer, qui écrivit pour Piaf plus de vingt-six chansons, trouve Cerdan accablé, *L'Immoraliste* de Gide à la main.

« Ce Gide, demande-t-il à Michel Emer, il était pas un peu pédé ? »

Le manager de Cerdan, Lucien Roupp, n'est pas très content de l'aventure de Marcel avec Piaf : c'est la première fois que son poulain lui échappe.

Pour Édith, c'est merveilleux. Elle est devenue « la femme ». Ça la rend très heureuse. Il y a bien la pensée de Marinette et des enfants qui la tracasse, mais elle ne leur veut pas de mal : elle n'y peut rien. Marcel, c'est le destin.

Hélas, c'est elle qui se substituera au destin pour demander à Marcel d'avancer son voyage. L'avion de Cerdan s'abat aux Açores.

La mort de Cerdan est sans doute ce qui est arrivé de pire à Édith Piaf : le commencement de son déséquilibre complet. Comme si tous les malheurs qu'elle chantait devenaient brusquement réalité, comme si soudain se superposaient à jamais ses cantates du malheur et de la vie.

Auparavant, les drames quotidiens, les ruptures, les scènes, elle les provoquait, elle les suscitait. Elle en avait besoin pour vivre, pour chanter : c'était son pain quotidien.

C'est à partir de la mort de Cerdan que son délire, sa folie, qui la conduisaient vers la vie, dans la vie, la conduisirent inéluctablement vers la mort.

Lorsque l'avion de Cerdan s'abattit sur les Açores, en octobre 1949, il lui restait encore quatorze ans à vivre. Quatorze ans qu'elle allait dévorer comme elle avait dévoré son enfance, qu'elle allait déchiqueter comme la vie l'avait déchiquetée.

Lorsque, toujours à court d'argent, elle a raconté sa vie à *France-Dimanche*, pour un million d'anciens francs par article, dans une série de « Confessions » qui firent augmenter le tirage de trois cent mille exemplaires, elle indiquait à Jean Noli, qui écrivait ces articles : « Dites bien à votre patron que je ne veux pas toucher un centime pour l'article dédié à Cerdan. »

Elle tint le même raisonnement à Charles Dumont lorsqu'il écrivit la musique de *La Belle Histoire d'amour* dont elle avait écrit les paroles :

> *Lorsqu'un homme vient vers moi*
> *Je vais toujours vers lui*
> *Je vais vers j'n'sais quoi*
> *Je marche dans la nuit* *.

« Je ne veux pas toucher d'argent pour cette chanson écrite en souvenir de Marcel. »

---

* *La Belle Histoire d'amour*, 1961. Paroles d'Édith Piaf, musique de Charles Dumont. Les Nouvelles Éditions Méridian, 5, rue Lincoln, Paris 8ᵉ.

On retrouve toujours chez Piaf son inénarrable comptabilité : Dieu, l'amour et l'argent.

Après la mort de Cerdan, les amours de Piaf vont devenir diaboliques et souvent minables. Elle va forcer la main à l'amour avec cette volonté de destruction qui est si forte chez elle. Elle « fabriquera » des chanteurs comme elle aurait mis au monde les enfants qu'elle n'a pas eus. Moustaki, pourtant, lui a donné un souffle génial mais il n'a pas pu « tenir ». Quant aux autres... Marten, Constantine, ils ne font pas le poids.

## 13

# Le guéridon

« La mort, c'est le commencement de quelque chose. »
*Édith Piaf*

« La mort ça n'existe pas. »
*Édith Piaf*

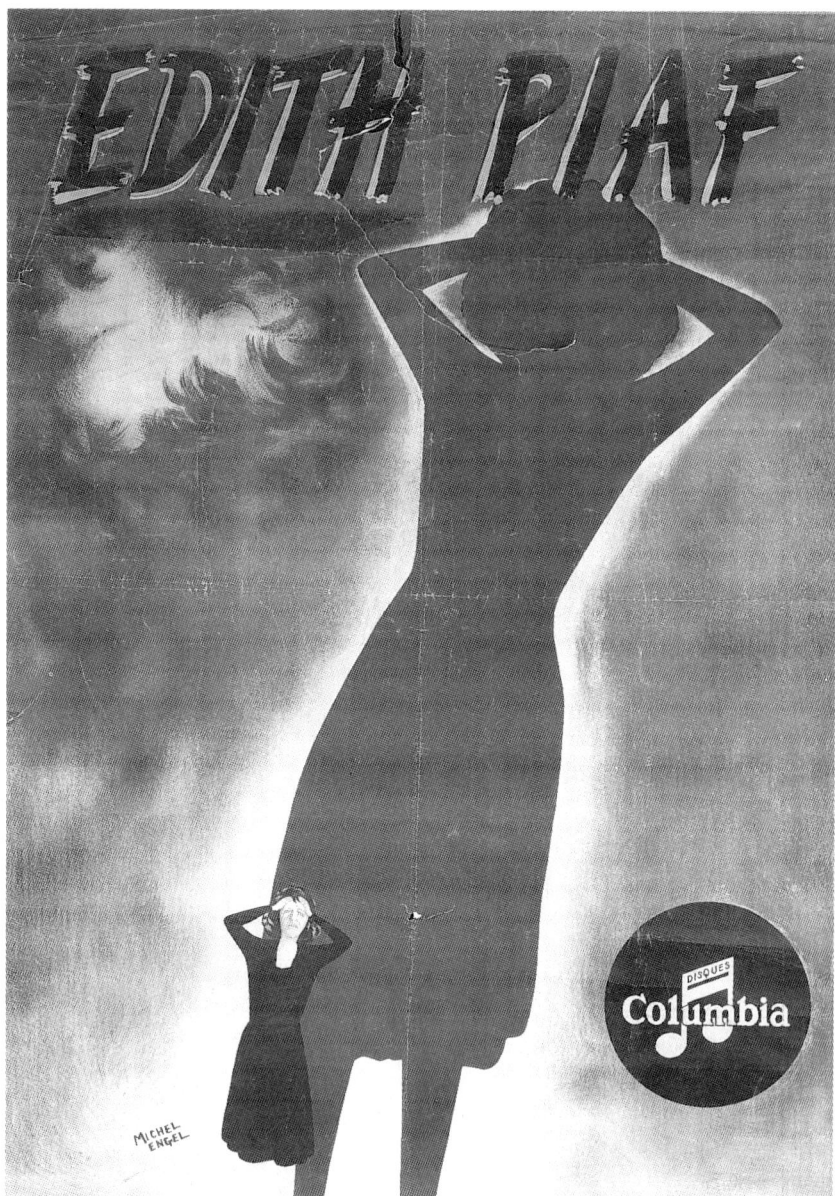

(Ph. Charmet)

Le guéridon est une sombre histoire.

La mère de Ginette Neveu, disparue dans le même accident que Cerdan, avait téléphoné à Piaf pour lui dire qu'elle était parvenue à communiquer avec sa fille.

A partir de cette minute, Piaf vécut dans l'idée fixe de parler avec Marcel. Parler avec Marcel par l'intermédiaire d'un guéridon qu'elle fit acheter en toute hâte, et qui, hélas, se mit à galoper très vite à la moindre question d'Édith.

Dans le mélange délirant de douleur et de culpabilité où vivait Édith depuis la mort de Cerdan, le guéridon pouvait lui ordonner n'importe quoi.

Il y eut immédiatement ceux qui firent gambader le guéridon et ceux qui s'y refusèrent.

Le guéridon était très dur avec Édith. Il lui reprochait son avarice. Il lui donnait des conseils financiers presque toujours au profit des mêmes personnes. Momone prit une prodigieuse revanche à ce moment-là sur Édith, qui l'avait éloignée au moment de son aventure avec Cerdan, car elle savait parfaitement que Momone vivait dans l'idée fixe de la « doubler » avec ses amants pendant son tour de chant, ce qu'elle fit très souvent.

Édith ne vivait plus que pour les heures qu'elle passait avec le guéridon. Il fallait l'emmener pendant tous les déplacements. Malheur à celui qui l'oublierait.

Andrée Bigard, écœurée par la tournure que prenaient les événements, tenta de perdre le guéridon entre Le Bourget et New York. « Édith, dans la précipitation du départ, je l'ai oublié. » Aznavour, qui participait au voyage, regardait, hagard, la pointe de ses souliers. Personne ne soufflait mot.

Édith, blême, ordonna à Chauvigny, son musicien, et à Bigard, d'aller acheter un guéridon chez Bloomingdale. Le guéridon lui résista : Marcel restait muet. Édith enferma Andrée Bigard pendant douze jours dans sa chambre d'hôtel, la privant de nourriture. Chauvigny lui apportait à manger en cachette. Puis Édith renvoya Bigard en France avec Aznavour, fit venir en grande hâte Momone... et le guéridon se remit à danser.

Le guéridon fut la première étape de sa descente aux enfers.

# 14

# Les noces noires

« Le premier du mois, elle prenait un cahier neuf et elle écrivait : Aujourd'hui une nouvelle vie commence. »
*Lou Barrier*

Piaf et Charles Aznavour. (Ph. Sygma)

Piaf avait un côté fleur bleue et un côté voyou. Elle avait rêvé mariage, très jeune, avec Meurisse, et c'est Michèle Alfa qu'il épousa. Puis elle devint la « dégréneuse » qu'elle a été toute sa vie, se battant contre les couples comme Don Quichotte contre les moulins à vent. Elle en voulait à tout ce qui était établi. Elle ne pouvait que se moquer, tourner en dérision ce qui lui avait toujours été refusé. Autrement, la blessure eût été trop douloureuse.

Ce qui la mettait hors d'elle, c'étaient les images du bonheur conventionnel, et surtout les hommes qui rentraient à la « maison ».

*Car moi j'suis comme la mer*
*J'ai l'cœur trop grand pour un seul gars*
*J'ai l'cœur trop grand et c'est pour ça*
*Qu'j'écris l'amour sur toute la terre *.*

* *C'est à Hambourg*, 1955. Paroles de Claude Delécluze et Michelle Senlis, musique de Marguerite Monnot.

Elle ne pouvait chanter l'amour qu'à condition qu'il fût menacé.

Et soudain, premier sacrement, elle se trouvait veuve avant d'avoir été mariée.

*Je cherche à t'oublier*
*Et c'est plus fort que moi*
*Je me fais déchirer*
*Je n'appartiens qu'à toi* *.

La première vraie cérémonie pour Piaf, ce furent ses noces noires. Elle est veuve de Cerdan : ça lui ressemble bien. Le voile noir, c'est sa première coiffure de mariée.

Mais il y a Marinette... et les enfants.

Après avoir prié pour Marcel et assisté à la messe pendant des mois tous les matins dans l'église où elle se mariera avec Pills, Piaf nourrit l'idée fixe (midinette et réparation, ou putain et exorcisme) de connaître Marinette et les gosses. Ses trois premiers jours de liberté, elle ira à Casablanca faire une visite dominatrice et expiatoire. Elle arrivera les bras chargés de cadeaux.

Le « petit » Marcel a neuf ans. Il déteste Édith.

* *La Belle Histoire d'amour*, 1960. Paroles d'Édith Piaf, musique de Charles Dumont. Les Nouvelles Éditions Meridian, 5, rue Lincoln, Paris 8ᵉ.

Elle ne s'en aperçoit pas. Comme toujours, elle aime réaliser ce qu'elle a décidé. Elle suit sa ligne. Maintenant, ce n'est plus le guéridon qui parle mais la petite sœur Thérèse, Jésus et le souvenir lancinant de la « loi du milieu ».

Marinette, petite femme soumise et méditerranéenne, Marinette, que Marcel ne « sortait » pas, est éblouie par la visite de « la reine Piaf ».

Ici, une parenthèse s'impose : quel que fût son désir de façonner les êtres, Piaf n'a jamais aidé une femme. A part Marguerite Monnot, elle n'eut aucune véritable amie femme et elle ne fit jamais la carrière d'une autre femme.

D'ailleurs elle allait très loin dans sa misogynie : c'est aux machinistes et non pas aux ouvreuses qu'elle demandait ce qu'ils pensaient de son tour de chant.

Et la voici qui va s'occuper de Marinette, car Édith, dans sa fameuse comptabilité, Dieu, l'argent et l'amour, sait qu'elle a une dette envers Marinette et les enfants de Cerdan.

Elle convainc Marinette de venir vivre à Boulogne avec les gosses – dans cet hôtel particulier où Marcel avait fait son trou. Elle va les gâter. Elle les assumera. Elle exorcisera.

Marinette accepte et, deux mois plus tard, elle arrive.

Piaf a déposé sur le lit de sa « rivale » un manteau de fourrure. Superbe.

Elle lui a « rendu » le vison que Marcel lui avait donné.

Piaf emmène Marinette chez les grands couturiers.

Elle la coiffe, elle la pomponne.

Elle lui fait rencontrer le Tout-Paris.

Et ici se déclenche une fois encore le mécanisme qu'Édith avait le génie de provoquer. Plus que tout cet or qu'Édith met à ses pieds, ce sont les amoureux d'Édith qui fascinent Marinette!

En vérité, Piaf a toujours suscité ce sentiment d'identification, de rivalité. Les autres femmes ont toujours voulu ce que Piaf avait, et Piaf a toujours voulu les hommes des autres femmes.

Chrétienne ou païenne, sainte (!) ou truande, Piaf s'amuse : elle a transformé son adultère en famille nombreuse.

Mais, quelques mois plus tard, elle revendra cet hôtel où elle s'est crue heureuse avec Marcel et les siens. Elle le revendra en perdant beaucoup d'argent. Elle ne s'y supporte plus.

# 15

# L'année du vélo

« Il était mince, séduisant, et son regard triste m'avait attirée vers lui : c'était un grand cycliste. »

*France-Dimanche*

Piaf, Charles Aznavour et Eddie Constantine à l'époque
de la Petite Lilli. 1951. (Ph. J. C. Pierdet)

Après la mort de Cerdan, ce n'est pas la fatalité qui s'abat sur elle mais le désordre, l'incohérence. Piaf entre dans l'ère des accidents, des maladies, des tranquillisants, de la drogue et des stupéfiants.

Plus personne ne peut la tenir. Elle fait comme si elle avait perdu son centre de gravité. Elle se traîne. Elle traîne. Elle fait les gestes mais le cœur n'y est pas.

Elle est autoritaire sans conviction. Elle persécute Aznavour, avec qui elle n'aura pas d'aventure. Elle le traite mal et refuse ses chansons. Aznavour est une des rares erreurs professionnelles de Piaf. Sans doute se ressemblaient-ils trop. Elle n'a pas reconnu le compositeur en lui : c'est ainsi qu'elle a abandonné à Gréco *Je hais les dimanches*, qu'il avait écrit pour elle. Vers la fin de sa vie, il sera pourtant l'un des seuls à l'aider.

Un Américain dégingandé vient la voir à Paris : Eddie Constantine. Elle l'imposera dans *La Petite*

*Lilli* et paiera même de sa poche la moitié de son cachet. Mitty Goldin, qui ne voulait déjà pas d'elle à ses débuts, monte en renâclant à l'*A.B.C.* la pièce de Marcel Achard dans une mise en scène de Raymond Rouleau en 1951. La pièce dure sept mois : le temps de leurs amours. Puis Constantine retourne à sa femme et à sa fille.

Édith le remplace par André Pousse, coureur cycliste, qui fit du cinéma plus tard. Il n'en revient pas : elle lui met ses chaussons le soir. « C'est quand même Édith Piaf, ce n'est pas la bonniche du coin. » Il la bat parce qu'elle l'horripile et non parce qu'elle le trompe. Tyrannisé par elle, il ne peut plus s'entraîner. Elle décide de vendre sa maison de campagne, cette fois, et de lui acheter une automobile. Elle veut aussi lui faire jouer *Le Bel Indifférent*. Elle est infatigable mais il craque.

Son successeur sera Toto Gérardin, un autre champion cycliste. Ici, nous entrons à nouveau dans le vaudeville. La femme de Toto Gérardin engage un détective privé pour suivre son mari. On découvre chez Édith des trophées en métal précieux, un manteau de vison et dix-huit lingots d'or. Mme Gérardin récupère le tout.

L'année du vélo est terminée, et Piaf a entamé l'abominable cycle des accidents de voiture qui est le réel commencement de son Golgotha physique.

Elle a coup sur coup deux accidents de voiture

avec Aznavour. Toujours ce rythme démoniaque qu'elle leur impose : parler jusqu'au lever du jour et repartir de bonne heure afin de pouvoir répéter dans la salle où elle doit chanter le soir et régler les éclairages avant le spectacle. Elle a des côtes cassées, le bras dans le plâtre. Elle souffre terriblement. Elle mélange l'alcool et la drogue. C'est la pente douce.

Avec Pills. (Ph. Keystone)

# 16

# Les noces bleues : Pills

« Pourquoi la quittait-on ? Parce qu'elle vous crevait en vous obligeant à vivre à son rythme : elle se couchait à huit heures du matin. Personne ne tenait. Ou ils divorçaient ou ils devenaient neurasthéniques. Jacques Pills a frôlé la dépression. Auprès d'elle, même les athlètes devenaient squelettiques en six mois. »

*Michel Rivgauche*

1958. (Ph. Sygma / Europress)

Piaf, veuve de Cerdan, n'a toujours pas été mariée. Elle rêve d'une cérémonie comme elle rêvait de la première communion qu'elle n'avait pas faite. C'est au moment où elle commence, attaquée par la drogue, une hallucinante destruction d'elle-même qu'elle épouse Pills.

Elle l'épouse à New York en septembre 1952, dans l'église où elle allait prier tous les jours pour le repos de l'âme de Cerdan.

Elle se marie dans une robe bleu pâle (la couleur des Compagnons de la Chanson). Marlène Dietrich est son témoin. Radieuse, droguée, elle espère une fois encore que son « image » sera plus forte qu'elle.

Elle chante au *Versailles* et il chante à *La Vie en rose*. Leur voyage de noces est un trajet en taxi entre leurs deux cabarets.

Pills est un tendre, un faible. Piaf n'en fera qu'une bouchée. Elle a repris le goût des farces qu'elle faisait lorsqu'elle était petite fille. Elle reste au cinéma pendant trois séances pour qu'il croie qu'elle le trompe et... qu'il la batte. Mais celui qui, il y a plus de vingt ans, chantait *Couchés dans le foin* avec Mireille et Tabet est doux comme un agneau. Ce qui amuse Piaf, rivale de toutes les femmes, c'est qu'il a été le mari de Lucienne Boyer, qui chantait *Parlez-moi d'amour* dans son cabaret de l'avenue Junot quand Piaf débutait.

Le bonheur des Ducos – c'est le vrai nom de Pills – se résume à quelques photos, à quelques chansons. C'est lui qui écrivit les paroles de *Je t'ai dans la peau*, dont Gilbert Bécaud composa la musique.

Piaf dévore de nouveau la vie à pleines dents mais cette fois-ci, comme le Petit Chaperon rouge, elle va être dévorée, elle aussi.

# 17

# La mystique et l'enfer
# Le Golgotha

« Tes chansons pleines de soleil, d'îles lointaines, de filles sauvages, d'amour passionné, iront loin. »

*Piaf à Moustaki*

« Piaf est morte parce qu'elle s'ennuyait. »

*Moustaki*

« C'était une malade géniale. Malade de solitude. C'était sa hantise : être seule. »

*Michel Rivgauche*

« Ce n'est pas possible. Elle tue tout le monde par sa vie tellement déréglée. Tous les gens qui sont avec elle sont sur les genoux. Même son docteur. »

*Douglas Davies*

« Si je ne brûlais pas, crois-tu que je pourrais chanter ? »

*Édith Piaf*

Piaf entre Georges Moustaki et Michel Rivgauche qui écrivit
pour elle , "la Foule", " Faut pas qu'il se figure", etc.
(Ph. Keystone / Sygma)

Quand Moustaki rencontre Piaf en 1957, il est frappé par sa solitude mais en vérité elle ne l'intéresse ni comme femme ni comme chanteuse. Les réticences des autres n'ont jamais dérangé Piaf lorsqu'elle voulait une chanson ou un homme. Moustaki a écrit *Milord*. Il sera son guitariste. Ils ont des rapports démoniaques. Il a beaucoup trop de personnalité, de « machisme » grec pour se laisser dominer. Il est également scandalisé par sa façon de vivre. Il ne supporte ni ses comédies ni son entourage. Ce qu'il respecte en elle, c'est son sens du travail mais il refuse de le payer trop cher, même si Piaf le couvre de bijoux pour qu'il la couvre de bleus.

Ils feront un bout de chemin ensemble puis il la « plaquera » comme dans ses chansons – dans un hôpital américain. Il a bu le calice jusqu'à la lie. Il est traité d'ordure et d'ingrat, mais il est dégoûté de voir tous ces faux amis lui procurer de l'alcool et de la drogue et d'autres l'enfoncer dans les délires du mysticisme.

Édith joue à ce moment-là une de ces innombrables comédies du désespoir dont elle a le secret. Le pauvre Lou Barrier n'en peut plus de la retrouver le matin bouffie et absente, avant de découvrir vingt canettes de bière vides sous son lit.

Un jeune peintre américain, Doug Davies, est l'un des « groupies » de Piaf. Il vient tous les jours demander de ses nouvelles avec un petit bouquet de fleurs.

Lou Barrier a une idée de génie. Tout en sachant qu'il envoie Doug à la fosse aux lions, il le présente à Piaf.

Une fois encore, devant cet amoureux transi et affolé, elle reprendra des forces. Mais c'est la chanteuse qu'il admire. Elle le vampirisera comme les autres, le ramènera en France.

JE L'AI EMBRASSÉ POUR LA PREMIÈRE FOIS L'APRÈS-MIDI OÙ IL EST ARRIVÉ AVEC CINQ BALLONS DE COULEUR FLOTTANT EN L'AIR AU BOUT DE LEURS FICELLES.

Elle dit à Lou Barrier : « L'autre fumier, je ne sais même plus qui c'est. » Moustaki est « balayé ».

Le pauvre Doug n'en demandait pas tant. Quant à l'entourage, il se plie immédiatement et le frêle Américain devient le nouveau patron. Il se révolte parfois, mais si faiblement. Il suit Piaf dans ses tournées. Ils se disputent beaucoup. Il peint des portraits d'elle, déchirants, mais le jour où elle lui achète son trentième chevalet, il éclate : elle est vraiment infernale !

Elle l'emmène dans le Midi et enfin il se détend parce qu'il aime la mer. Les Français stupéfaits – ceux qui vont payer le soir à prix d'or pour écouter chanter Piaf – la verront habillée en petit marin, suspendue au bras de son Américain.

Provocatrice, exhibitionniste, elle donne une fois encore une image du bonheur qui est à l'envers de l'image conventionnelle que l'on en a habituellement.

Ce fut une tournée insensée, raconte Michel Rivgauche qui écrivit la musique de plusieurs des chansons de cette période-là, entre autres *La Foule*, *Faut pas qu'il se figure*, *Salle d'attente*, *Mon Vieux Lucien* et les sublimes *Blouses blanches* dont Coquatrix pensait qu'elles étaient inchantables. « Mais tu sais bien, lui rétorqua Piaf, qu'on dit que je pourrais chanter l'annuaire du téléphone. »

Piaf chantait à Cannes et dévorait des fromages aux herbes à *La Plage sportive* mais elle exigeait que les fromages deviennent verts de ciboulette. Quant au melon au porto, le porto devait recouvrir le melon : « Ce n'est pas vous qui le payez ! » disait-elle au maître d'hôtel.

Doug, lui, était heureux... parce qu'il nageait.

Piaf prendra des leçons de natation cette année-là.

C'est une autre de ses constantes. Si un homme aime nager, elle nage, s'il est boxeur elle ne parle que de boxe, s'il est grec elle se passionne pour l'histoire grecque.

Doug durera quelques mois, puis s'enfuira. Elle est opérée d'urgence d'une pancréatite et ne quittera l'hôpital qu'en octobre 1959. Un médecin affirme alors qu'elle est physiologiquement morte depuis plusieurs années déjà.

La France entière assistera pourtant à sa résurrection et les enregistrements des trois récitals de *L'Olympia* : 1960, 1961, 1962, sont les diamants du dernier rapport éperdu entre Piaf et son public. Public qui la maintint en vie autant que les cocktails de médicaments qu'on la presse d'ingurgiter pour lui permettre de chanter.

Il n'y a pas que les accidents. Il y a les opérations : l'ulcère hémorragique, l'occlusion intestinale, l'opération de l'estomac et les comas hépathiques.

Ce Golgotha est l'aboutissement de tous les excès d'Édith, qui, en dépit de sa lourde hérédité (le père Gassion avait toujours avalé ses dix Pernod avant midi), avait une santé de fer. Mais, avant de toucher à la morphine, ce qu'elle ne fit que lorsqu'elle se tordait de douleur et qu'elle ne pouvait pratiquement plus chanter, elle ne connut jamais aucune mesure devant le café, l'aspirine, le vin, ni devant aucun des médicaments (excitants et tranquillisants) tant elle était convaincue de leur utilité.

Lorsque son médecin lui ordonnait quarante uni-
tés par jour d'un médicament, elle en prenait sans
hésiter jusqu'à quatre cents.

Après son opération de l'estomac à l'Hôpital américain, en 1959, elle parvint le soir même à
convaincre l'infirmière de service que le médecin
l'avait autorisée à manger un steak au poivre.

Elle passa trop vite du Dolosal aux drogues fortes.
Elle trouvait toujours un minable, un voyou, un
esclave ou un truand pour lui en procurer. A la fin
de sa vie, on devait la piquer pour qu'elle puisse
chanter car elle ne voulait jamais s'arrêter. Elle, qui
voulait vivre deux vies à la fois, se détruisit sans
aucun discernement.

1959. (Ph. Keystone)

## 18

# La résurrection via Dumont

1960. (Ph. Keystone)

Piaf avait décidé de sauver *L'Olympia* comme Jeanne d'Arc avait décidé de sauver la France. Mais elle n'en avait plus la force. Autour d'elle sont réunis, hagards, les fidèles de toujours : Chauvigny, son musicien, mort trois mois après elle, l'ineffable Marguerite Monnot, disparue deux ans avant elle, les Bonel, et Bruno Coquatrix qui attendait d'elle son salut.

Elle traîne boulevard Lannes dans son vieux peignoir délavé, ses yeux bleus presque sans regard. Elle titube dans l'appartement avec une démarche de vieille femme. Lou Barrier est très pâle.

Il adore Édith. Il est l'imprésario le plus généreux qui ait jamais existé dans le monde de la chanson. Depuis des mois, c'est lui qui « fait bouillir la marmite ». Édith n'a plus que des dettes. A cause de ses maladies, de ses folies et de ses parasites.

Ce jour-là, Édith annonce à Coquatrix qu'elle ne

pourra pas « faire » *L'Olympia.* Coquatrix est anéanti mais il sait qu'elle a tenté l'impossible.

Le lendemain, un jeune compositeur, Charles Dumont, qui déplaît souverainement à Édith, vient avec Michel Vaucaire pour lui proposer une chanson. Édith est exsangue mais elle n'a jamais été capable de refuser d'écouter une chanson.

Cette chanson, c'est *Non, je ne regrette rien.*

C'est elle qui fera renaître Édith de ses cendres. Dumont, qui y laissera sa santé, va être projeté de la 4 CV qu'on lui a prêtée à une superbe Alfa-Roméo rouge.

Il n'en croit pas ses oreilles. C'était quelqu'un de très calme avant de rencontrer Piaf. Il avait une femme qu'il aimait, deux enfants. Piaf, même mourante, y mettra « bon ordre ». Dumont vit à la fois la grâce d'assister à la résurrection de la plus grande star du music-hall qu'ait peut-être connue notre époque, et l'apocalypse, puisque cette diva, aussitôt qu'elle reprend ses forces, redevient un tyran impitoyable.

Le 29 décembre 1960, à *L'Olympia,* c'est le triomphe. Le public debout l'acclame pendant une demi-heure.

### PIAF RESSUSCITÉE PAR L'AMOUR

*France-Dimanche* double son tirage. Il le triplera pour sa mort. Ses fervents sont aussi des fauves : « Si elle mourait sous nos yeux... la belle histoire à raconter à nos petits-enfants. »

Ce qu'ils ne savent pas, en dépit de tous les ragots souvent colportés avec la bénédiction de Piaf, c'est que, lorsque le rideau tombe sur ce petit clown disloqué qui les a fait sangloter, on la truffe de piqûres et de vitamines.

Avec cette énergie qui vient de l'au-delà, elle part en tournée. Elle emmène Dumont. Pour se stimuler, elle prend des montagnes de pilules. Elle s'abat sur scène. Elle perd les mots de ses chansons. Elle bafouille. Au lieu de chanter « Marchant par-dessus les tempêtes », elle dit « Marchi les blaches gourmettes ». Elle demande pardon à son public. Elle tombe. On la relève. C'est atroce.

Piaf devine – à peu de chose près – l'image goyesque qu'elle donne d'elle-même. Mais, exhibitionniste de la mort comme elle a été exhibitionniste de la misère et de l'amour, c'est dans une volupté morbide qu'elle montre jusqu'où elle peut aller.

Le malheureux Dumont, au bord de la dépression nerveuse, tente de l'emmener aux sports d'hiver. Ce jour-là, il a signé son arrêt de mort. Proposer la nature à Piaf, il faut être fou. Il part quand même. Il est excommunié. Nous approchons du règne de Sarapo, dont l'entrée a été minutée par Claude Figus, qui fit cuire des œufs sur la flamme de l'arc de Triomphe pour amuser Piaf. Il est son esclave et son plus lamentable pourvoyeur de drogue. Boute-en-train désespéré, il finira par se suicider, mais il tentait toujours d'orchestrer l'entourage de Piaf pour y rester. Il l'aimait depuis l'âge de treize ans.

# 19

# Le deuxième Grec : c'est un ange

« Elle pensait que sa vie appartenait au public, qu'il avait le droit de tout savoir. »

*Théo Sarapo*

Piaf et Théo Sarapo , chanteur ; *A quoi ça sert l'amour ?* (1962). (Ph. Keystone)

Il est innocent et tendre, le petit Grec que Figus a apporté à Piaf pour la ressusciter. Ses parents tiennent un salon de coiffure à La Frette-sur-Seine, dans les environs de Paris. Il est un peu gras. Elle le fera maigrir. Il s'appelle Théo. Elle l'appellera Sarapo, ce qui veut dire « Je t'aime » en grec. Elle en fera un chanteur. C'est le dernier qu'elle jettera dans l'arène. Il se comporte comme un ange. Elle le martyrisera.

Pour quelques jours, elle va jouer à être heureuse. Elle lui achète un train électrique, il lui offre un ours en peluche plus grand qu'elle. Ours qui peut être admiré au *Club des Amis d'Édith Piaf* où des jeunes gens ont reconstitué, dans une rue de Ménilmontant proche de celles où Édith chantait petite fille, un musée Piaf *.

Mais lorsque Sarapo arrive, elle ne veut pas

* Club des Amis d'Édith Piaf, 5, rue Crespin-du-Gast, Paris 11ᵉ.

encore être empaillée. Elle use ses dernières forces à lui apprendre à chanter. Pour montrer à son public jusqu'où elle peut aller, elle chantera avec lui, sur la scène de *Bobino, A quoi ça sert l'amour.* Elle est moribonde. Il est torse nu.

Ses amis de *France-Dimanche* sont harcelés par leur patron qui gémit qu'après Piaf il n'y aura plus de star. Elle leur demande de sonder son public. Elle a envie de savoir ce qu'il pense de sa liaison avec Théo. Des milliers de lettres arrivent. Une fois encore elle a l'absolution.

Il n'y a qu'en Bretagne où la vente de ses disques baisse. Une idée germe alors dans la tête d'Hugues Vassal – le photographe de *France-Dimanche* qui accompagnait toujours Jean Noli et qui traquait Piaf tout en s'étant mis à l'adorer.

Il dit en pleine conférence du journal : « Si Édith pouvait l'épouser ? » Le directeur, déchaîné, leur ordonne de revenir avec une promesse de mariage signée par Édith afin que *France-Dimanche* en ait l'exclusivité. L'idée divertit Édith qui, même au seuil de la mort, a toujours rêvé de cloches et d'encens. De son poignet martyrisé par les rhumatismes, elle écrit pour ses copains, en leur souhaitant que le tirage augmente :

ÉDITH ANNONCE SON MARIAGE EN OCTOBRE
AVEC THÉO SARAPO

Il ne lui reste plus qu'un an à vivre.

Le directeur de *France-Dimanche* la pleure encore aujourd'hui : « Piaf était un être charismatique. » « Nous avons publié deux fois ses Mémoires. » « Notre tirage avait monté de trois cent mille exemplaires. » « Son agonie nous a fait vivre trois ans. » « Il n'y a plus de Piaf aujourd'hui. La télévision nous a fait un tort énorme. Maintenant les gens peuvent voir les vedettes mâcher un morceau de chewing-gum ou fumer la pipe. Elle a assassiné les journaux comme nous. »

Donc Piaf – avec la bénédiction de son peuple – va épouser Théo à la mairie du XVIᵉ arrondissement, le 9 octobre 1962. La foule est agrippée aux grilles de la mairie pour l'acclamer. Les « Vive la petite fiancée de France » hurlés par des femmes en transe escamoteront les quelques « maquereau » et « gigolo » lancés au jeune Grec qui mettra des années à rembourser les dettes de sa femme et se tuera en voiture sept ans après sa mort.

Les questions posées au gentil Théo, le jour de leur mariage, furent démentes ; mais elles n'avaient pas encore atteint la cruauté finale. Piaf avait dû lui mâcher ses réponses. Elles furent dignes d'elle.

« Quel effet cela vous fait-il d'avoir épousé une femme de vingt ans plus âgée que vous ?

– Édith a un caractère d'enfant.

– Aurez-vous des enfants ?

— Si ma femme en veut. »

*France-Dimanche* égrena ses plus belles perles :
MÊME SI MON PÈRE REFUSE, ÉDITH, JE T'ÉPOUSERAI.

ET QUAND LA MAMAN DE THÉO, QUI A HUIT ANS DE PLUS
QUE MOI, M'A DIT : ÉDITH, APPELEZ-MOI MAMAN, C'EN ÉTAIT
TROP. J'AI ÉCLATÉ EN SANGLOTS.

Si le voyage de noces de Pills et de Piaf se passa en
taxi entre leurs deux cabarets à New York, celui
d'Édith et de Théo se déroula dans une clinique de
désintoxication.

Ensuite Piaf materne Théo : elle en fera un chanteur, mais elle se surpasse dans sa cruauté dominatrice. Elle est au bout de ses forces. Il loue pour elle
une somptueuse villa au Cap-Ferrat, *la Serena,* avec
une grande piscine. Édith lui interdit de se baigner :
elle a peur qu'il se noie. Elle lui apprend aussi les
bonnes manières et refuse qu'on lui donne à manger
s'il a cinq minutes de retard. Elle n'a plus que un
million cinq cent mille globules rouges, mais elle
demeure aussi démoniaquement autoritaire. Elle a
toujours commandé la même chose pour tout son
entourage, au restaurant. Si elle voulait des harengs,
tous mangeaient des harengs ; le jour des steaks au
poivre, c'étaient les steaks au poivre, mais il y eut
aussi le riz à l'eau avec du foie de veau et les coquil-
lettes saupoudrées de viande hachée. Personne n'a
jamais eu le droit de protester. Édith avait réponse à
tout.

Elle avait un pied dans la tombe, mais savait ce qui était bon pour leur santé. Elle se vengeait ainsi de mille petites choses : de l'escalier de service qu'on lui avait fait monter quand elle allait chanter chez les riches, de l'amusement de ses hôtes lorsqu'elle avait bu l'eau du rince-doigts une des premières fois qu'elle était sortie dans le « monde ».

Elle était « pygmalionne » et éducatrice. Ce qui manque, ce n'est jamais l'argent; celui-là, on peut toujours en trouver. C'est l'éducation et le savoir.

Elle a peur d'abandonner Théo dans la jungle terrible du monde du spectacle. Il est moins armé qu'elle. Elle est heureuse de le voir partir quelques semaines avant sa mort pour tourner dans *Judex*, un film de Georges Franju, à Paris. Elle voudrait qu'il s'en sorte. En vérité, et c'est ici que jusqu'à la fin elle reste grandiose, elle commence un peu à s'ennuyer avec lui.

Avec Théo Sarapo et Johnny Hallyday. (Ph. Keystone / Europress)

## 20

# Des vautours
# sur un Piaf

A son infirmière, Simone Margantin : « Tu verras, quand
je serai morte, je viendrai te tirer par les pieds. »
« Je suis sûre d'avoir été morte déjà. »

*France-Dimanche*

Piaf , Charles Dumont et Bruno Coquatrix. (Ph. Keystone)

Est-ce l'ultime sens qu'avait Piaf de sa propre légende? Ses dernières années ressemblent à un combat de boxe et font penser à *Battling Joe*, la chanson de Montand.

Elle ressemble à un boxeur brisé, défiguré, qui se relèverait chaque fois et dirait :

« Je vous en supplie. Laissez-moi me battre. Je mourrai si je ne me bats pas. Il ne me reste plus que ça au monde. »

Elle retrouve sur la fin de sa vie sa misère originelle. Dans les cliniques de luxe, c'est un petit oiseau blessé, déchiqueté, tombé du ciel de Ménilmontant, qui esquisse des gestes désordonnés pour survivre.

Elle qui a toujours voulu être vue – sur scène ou à la une des journaux, car elle détestait qu'on la regarde manger au restaurant – va être « reluquée » comme elle ne l'a jamais été, gavroche insolite dans les rues de Pigalle.

« Si vous m'empêchez de chanter, je me tuerai. »
Elle veut s'abattre sur scène en hurlant à l'amour.

Le monde du spectacle la croit finie. Elle va lui montrer ce dont elle est capable. Le petit Jésus, la sœur Thérèse et le peuple de Paris, eux, ne doutent pas d'elle. Édith va se relever de sa tombe, comme Lazare. Chaque fois qu'elle parvient à chanter, elle s'agenouille et dit merci, mais bien souvent elle s'écroule, disloquée ; elle a des trous de mémoire à Maubeuge et en Belgique, elle s'effondre à Dreux. Elle est brûlée de partout. Ses chevilles, ses poignets, la font atrocement souffrir. Nous sommes loin du moment où elle inventait des gestes prodigieux pour cacher ses difformités physiques : le geste du clown, de *La Ballade du pauvre pendu*, de M. Lenoble. Elle, qui refusait une chanson si elle ne voyait pas le geste qui pouvait l'accompagner, est prisonnière de ce corps qui la martyrise. Bien entendu, seule la drogue...

On la persécute pour lui faire avouer qu'elle va mourir.

« Édith Piaf, on entend dire sur vous des choses terribles, que vous êtes très malade et que vous le savez, que cette tournée est un suicide. Qu'est-ce qui s'est passé à Maubeuge ? »

Édith, imperturbable, répond. Elle a la grippe, ce n'est pas sa faute si elle a été prise d'une quinte de toux à sa première chanson.

« Ça arrive à tout le monde et aux chanteurs en particulier.

— Et vous vous êtes arrêtée de chanter ?

— Il fallait bien, puisque j'avais envie de tousser.

— Si votre médecin vous ordonnait de vous arrêter, vous lui désobéiriez ? »

La petite fille de Pigalle, à qui Leplée criait : « Tu vas retomber dans le ruisseau » quand elle s'enfuyait pour chanter de nouveau dans les rues après le *Gernys*, répond : « Je ne fais que désobéir. Je n'ai fait que désobéir toute ma vie. »

Un an plus tard à Dieppe :

« Le bruit avait couru depuis Paris que vous étiez morte, Édith Piaf.

— J'ai voulu aller jusqu'au bout et j'ai eu tort. Je veux toujours aller jusqu'au bout.

— Est-ce que vous avez peur de mourir ?

— Non, je n'ai pas peur... Tant que je pourrai chanter...

— Vous ne pourrez pas chanter éternellement.

— Je ne voudrais pas mourir vieille. »

Piaf a fait pleurer Charlot, des ministres et des prostituées, des aviateurs, des marins, des mères de famille, des homosexuels, des sportifs, des poètes et des flics. Elle a fait pleurer le peuple. Piaf est une chanteuse populaire. Le terme lui va aussi bien que la petite robe noire que lui fit porter Leplée.

Lorsque Alain Resnais a été trouver Marguerite

Duras pour lui demander d'écrire *Hiroshima mon amour*, il lui a dit : « Je voudrais que le film ressemble à une chanson de Piaf. »

Elle ne l'a sans doute jamais su, mais elle a adoré *Hiroshima mon amour*, qu'elle alla voir presque tous les jours, lors de sa sortie. C'est ainsi qu'elle agissait lorsqu'elle aimait quelque chose. Elle entraînait sa bande hébétée revoir huit fois *Le Pigeon*, de Monicelli, onze fois *Les Chaises*, d'Ionesco, six fois *Arturo Ui*, vingt soirs de suite *Le Troisième Homme*. A la fin de sa vie, elle leur lisait à haute voix Teilhard de Chardin. Piaf la tyrannique avait peur d'être seule, et une soif infinie de connaissance. Elle mettait toute son intelligence dans son travail.

Rien n'est plus émouvant que d'écouter ses premiers disques et les derniers – ce qu'elle fit quelques jours avant de mourir. Le chemin parcouru par cette petite-fille d'une Kabyle – détail qu'elle cacha toujours à la France de 1936, tandis qu'elle était très fière de son père ivrogne, qu'elle emmenait souvent en tournée avec elle et que l'on prenait parfois pour le portier de l'hôtel parce qu'il n'aimait pas dormir dans les palaces et n'enlevait jamais sa casquette pour manger –, le chemin parcouru par cette voix est prodigieux.

Piaf connaissait aussi bien les limites de ses forces que la naïveté du public. Elle disait à son chef d'orchestre : « Je serai très bien dans la première.

Les deux, trois, quatre, cinq, t'occupe pas ; la sixième je ne sais pas encore ce que je chanterai, mais fais-y attention ; la suite, t'occupe pas, jusqu'aux trois dernières, celles-là je les ferai très bien... Après on ira boire un coup. »

C'étaient les soirs de première qu'elle se « défonçait » littéralement : elle voulait gagner. Ensuite, elle se relâchait parfois, simplement parce qu'elle avait un peu trop fêté sa première. Elle ne méprisait pas le public. Elle voulait le dompter. « C'est sur scène qu'elle prenait son pied », a dit l'un de ses amants, mais elle voulait que ce « pied » fût une douleur partagée. Piaf était Notre-Dame de l'Amour, Notre-Dame des Masochistes et Notre-Dame des Homosexuels. Elle ne chanta jamais la maternité ni la joie paisible. Elle laissait la romance aux autres. Elle ne s'y risqua pas souvent.

Lorsqu'elle chantait le bonheur, on savait qu'il lui serait arraché. Sa grande rouerie était là. Puisqu'elle était méchante, son arme suprême c'était de faire pleurer.

Elle avait peur de la foule et des passions qu'elle déchaînait. Elle savait que d'un geste, d'une intonation de voix, elle pouvait avoir le monde à ses pieds, mais le pouvoir de ce geste la dépassait parfois. Il y avait sa manière de dire les mots Venise, Hambourg, Valparaiso. Elle qui n'a jamais quitté la scène ou sa chambre d'hôtel pendant ses tournées. Elle qui a été

163

en Amérique, en Égypte, en Suède, au Liban, elle qui ne regardait jamais, qui voyageait en tricotant ou en faisant la java. Elle qui nous entraînait dans des pays où nous ne pensions jamais aller.

Piaf faisait gagner des batailles aux soldats, des amants aux femmes vertueuses, elle consolait les pauvres de leur misère et les riches de leur ennui. Piaf vous arrachait à votre vie pour quelques heures. Elle vous emportait.

Ensuite elle retombait de très haut. Après avoir égrené dix-sept cantates à l'amour, au désespoir et à la mort, elle se retrouvait seule. Seule comme une bête, c'est là l'explication de ses peurs, de sa cruauté et de sa déchéance.

Elle chantait pour que les autres soient déchirés comme elle l'était. Elle chantait pour faire souffrir, pour déchiqueter.

*Mon cœur est au coin d'une rue*
*Et roule souvent à l'égout.*
*Pour le broyer les chiens se ruent.*
*Les chiens sont des hommes, des loups.*
*Mon cœur est déjà leur pâture,*
*Ma chair ne se révolte pas.*
*Mon Dieu, que votre créature*
*Ne souffre plus. Reprenez-la* *.*

* *Mon cœur est au coin d'une rue*, 1937. A. Lasry, H. Coste, Éditions Lasry.

Elle n'avait pourtant pas envie de mourir. Mais, dans un exhibitionnisme effréné, elle s'est laissé voir dans toute sa décrépitude, pour s'enfoncer dans le cœur des gens comme un clou empoisonné.

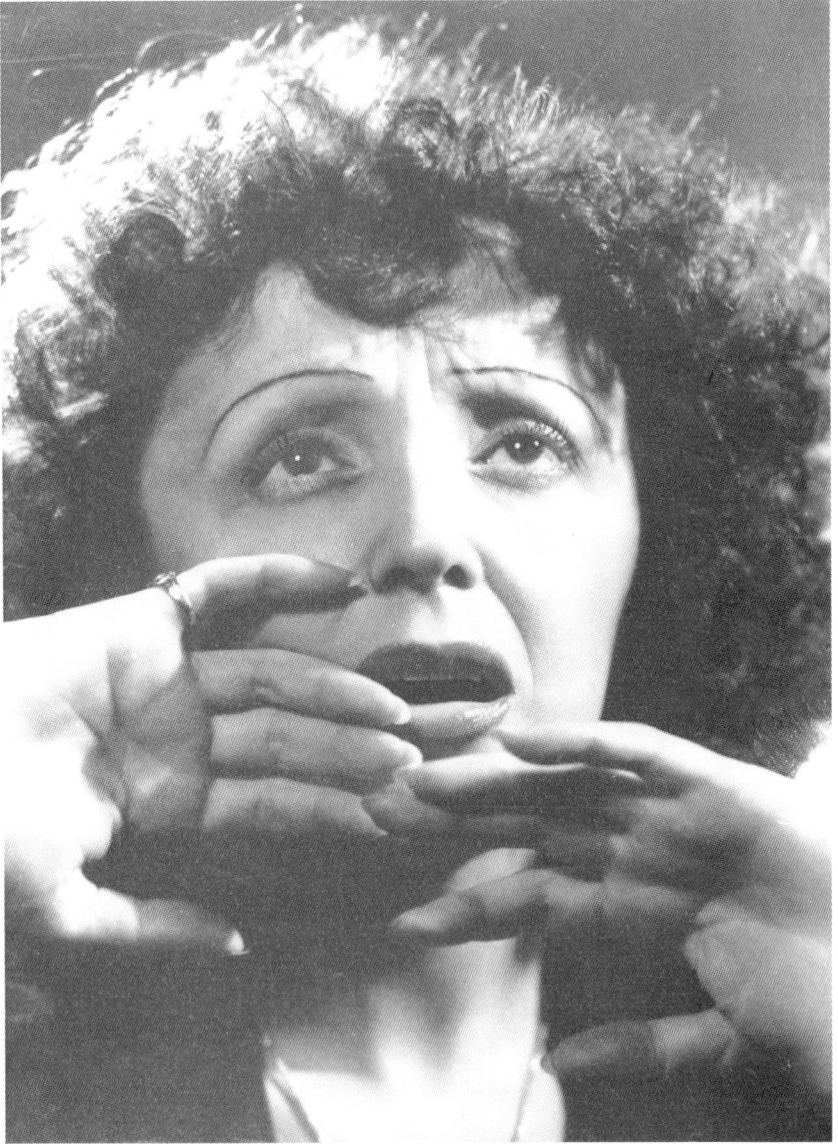

1947. (Ph. Keystone/Sygma)

# 21

# Piaf et l'amour

« Seul l'amour naissant l'intéressait... après c'était toujours pareil. »

*Charles Kiefer*

« Elle était la Fatalité, l'instrument du destin, une dévoreuse d'hommes. »

*Pierre Hiégel*

168

Piaf découvre la mer (à Cannes) avec Pills en 1952. (Ph. L'Illustration/Sygma)

La vie de Piaf se raconte un peu comme l'histoire de la peinture. De la même façon que l'on a pu dire période néoclassique – période impressionniste – période fauve – période cubiste –, on a dit période Asso – période Meurisse – période Montand – période Cerdan – etc.

En vérité n'émergent de la vie de Piaf que les vedettes, car elle a eu beaucoup d'autres aventures. La moyenne de durée de ses amants aux yeux clairs était de deux ans, affirme Andrée Bigard qui vécut plus de dix ans auprès d'elle. Il semble qu'elle ait rarement frémi dans leurs bras. Ce qu'elle aimait c'était l'état amoureux, et se regarder, elle, Piaf, raconter sa vie, dans les yeux bleus de ses amants.

Elle se lassait très vite, aussi bien des chanteurs stupides qui murmuraient derrière elle : « Notre amour, notre amour », que des cyclistes qu'elle allait chronométrer au bois de Boulogne et qui lui disaient : « C'est beau, un peloton qui tourne. »

Piaf n'a jamais eu peur du ridicule : elle le dépassait toujours. Des météores qu'on appelait les « patrons » traversaient comme des étoiles filantes ses appartements en pagaille.

Tous ses amis en témoignent. La minute où elle s'enflammait pour le suivant était visible à l'œil nu, la disgrâce du « patron » en place commençait à cet instant même, précipitée par la mauvaise foi d'Édith et sa férocité.

Son « entourage » se gardait de le défendre, ne fût-ce qu'une minute, et l'exécution était très rapide. Édith ne supportait pas qu'on lui résistât.

Piaf aimait le drame. Elle aimait rire et elle aimait le drame. Elle ne chantait jamais de façon aussi extraordinaire que lorsqu'elle était en crise. Jamais elle n'était plus bouleversante sur scène que lorsqu'elle venait de rompre.

Il semble bien, comme elle a fini par l'avouer, qu'elle « se faisait du cinéma ». Elle a eu les mêmes rapports avec ses amants qu'avec ses paroliers ou ses compositeurs. Elle était capable d'en changer du jour au lendemain si elle sentait qu'une musique cessait de lui convenir ou de susciter en elle des forces nouvelles.

En ce domaine, son intuition était prodigieuse. Elle avait un instinct très sûr de la musique. Elle l'affirmait encore grâce à son travail et aussi grâce au public, qu'elle possédait comme jamais elle n'a possédé un homme.

Son « pygmalionnisme » amoureux était également un des aspects de son caractère. C'est sur scène et jamais dans un lit qu'elle voyait un homme. A ce sujet, l'aventure avec Montand est exemplaire car, si elle perçut son avenir d'artiste avec une lucidité éblouissante, très rapidement elle en eut peur. Après l'avoir lancé avec une générosité folle, elle n'hésita pas à le « fourguer » le plus cruellement du monde parce qu'elle avait entrevu en lui un rival dangereux.

Piaf était un caïd qui jouait les femelles.

Elle a chanté les hommes qui la faisaient souffrir, celui qu'on attend et qui ne revient pas, mais en vérité, la plupart du temps, c'était elle qui les « jetait ». Elle laissait raconter que c'était par peur d'être quittée. Il semble bien que ce fut tout simplement par peur de s'ennuyer.

Piaf était folle d'impatience et ses amours étaient toujours à cheval entre le vaudeville et la tragédie.

Une des constantes de la vie de Piaf, une de ses grandes lignes de force, c'est sa foi. Elle a avec Dieu des rapports très familiers, bien qu'elle le trompe souvent avec la petite sœur Thérèse qui sera toujours sa préférée.

Elle mêle Dieu à tout. Il est toujours là. Sur scène. Dans son lit. Dans ses rapports avec l'argent.

« Si Dieu m'a permis de gagner tant d'argent, a-t-elle coutume de dire, c'est parce qu'il sait que je le donne. »

Elle a toujours eu – comme Cerdan, comme tous ceux qui ont connu la pauvreté – le sentiment que ce qu'elle gagnait était démesuré.

Elle est follement généreuse. Au début de chaque mois, sa secrétaire envoie de l'argent à une quinzaine de personnes que Piaf a décidé d'aider. Elle les soutient mais elle ne veut pas les voir. C'est sa façon à elle d'être chrétienne : une charité aveugle.

Elle se signe toujours en entrant en scène et elle prie au moins une demi-heure par jour toute seule dans sa chambre.

Mais surtout elle mêle Dieu à sa vie privée!
Cela filtre d'ailleurs dans ses chansons :

> Mon Dieu, laissez-le-moi
> Encore un peu
> Mon amoureux...
> Notre amour fait plaisir à Dieu.
> Il est plus pur, il est plus clair
> Que l'eau limpide des rivières... *

* Mon Dieu, 1960. Paroles de Michel Vaucaire, musique de Charles Dumont. Nouvelles Éditions Meridian, 5, rue Lincoln, Paris 8ᵉ.

Lorsque Piaf tombe amoureuse d'un garçon qui ne supporte pas qu'elle boive, elle monte à pied au Sacré-Cœur et elle prononce le vœu de ne plus boire pendant un an. Parfois le garçon ne tient pas l'année, mais la comptabilité de Piaf avec Dieu est si rigoureuse qu'elle tente tout pour ne pas être parjure et respecter son vœu.

Se sentant responsable de la mort de Cerdan parce qu'elle lui avait demandé d'avancer son voyage, elle alla à la messe tous les matins pendant plusieurs mois. Mais lorsque mourut son agent Clifford Fischer, à qui elle devait son succès en Amérique, c'est à la synagogue qu'elle emmena Andrée Bigard deux fois par semaine.

Quand elle était encore la môme Piaf, elle murmurait : « Mon Dieu que j'ai peur ! J'ai comme une grande angoisse. Sûr qu'il va m'arriver quelque chose, je ne sais pas quoi, mais je sens que ce sera une chose irréparable. »

Elle croit à la réincarnation. Elle déteste les cimetières. Vers la fin de sa vie, elle devient rose-croix et elle médite chaque jour.

Son rapport familier avec Dieu et les siens est révélateur de la mentalité de Piaf. Ne confie-t-elle pas à son infirmière, quelques mois avant de mourir : « Tu ne trouves pas bizarre que Jésus, vivant dans sa famille, l'ait quittée au moment où il aurait pu travailler et l'aider ? »

Piaf et Bruno Coquatrix en 1959. (Ph. Keystone/Sygma)

# 22

# Piaf et l'argent bric-à-brac

« En Suède, au cours d'une tournée, Piaf a envie d'un steak, de camembert et de vin rouge : elle affrète un avion spécial pour aller déjeuner, elle et ses musiciens, à Paris. »

*France-Soir*

« L'argent, ça ne comptait pas. Je l'ai vue donner 15 000 francs à un clochard. »

*André Pousse*

« Madame, depuis Sarah Bernhard, personne n'a eu sur une scène des gestes et des attitudes aussi beaux que les vôtres. »

*Charles Dullin*

Piaf jouant aux boules entourée de Michel Emer, Charles Aznavour, Micheline Dax et Roland Avellys "le chanteur sans nom". (Ph. Sygma)

Les rapports de Piaf et de l'argent sont un peu fous et à la mesure de sa démesure. Une fois encore, ils s'expliquent parfaitement par la misère de son enfance et ce sentiment qu'il fallait travailler pour les autres : son père, les macs, et finalement son entourage. Sa phrase sur Jésus est significative à cet égard.

Piaf enfant a connu la faim et le froid. Même si elle ne veut plus le reconnaître, petite fille, elle a mendié. Elle a tendu la main... et puis d'un coup elle est devenue très riche. Toujours à cause de ce don du ciel : sa voix. Elle disait souvent qu'elle serait encore un voyou comme Momone si elle n'avait pas eu sa voix.

Édith est une petite fille malingre de sept ans qui chante dans les cours. Momone quête. Elles ont tout de suite autour d'elles les petits gars de Belleville, de Ménilmontant et puis ceux de Pigalle. Édith les nourrit, paie des tournées. Ils la rançonneront plus tard, à l'époque où les mauvais garçons la fascineront.

Le goût de se faire « maquer » est toujours resté très fort chez Édith – même lorsqu'elle est devenue Piaf. Pendant la guerre, alors qu'elle habitait chez Billy rue de Villejust, elle perdait une moyenne de deux sacs en crocodile par semaine ! En vérité, elle les revendait moitié prix à des « copines » afin de pouvoir donner un peu d'argent à des petits gigolos d'un jour en racontant de gros mensonges à l'amant en titre.

A partir du moment où elle découvre que sa voix vaut de l'or, Piaf décide qu'elle doit tout aux autres, que cet or-là, elle va le distribuer, l'exorciser. Mais sa générosité sera à mille facettes ; elle sera aussi à la mesure de son autorité.

Il y aura l'histoire de la panoplie de ses amants. Invariablement, dans le même ordre, elle leur offre un briquet de chez Cartier, des boutons de manchette parfois en diamant, une chevalière en or, un ou plusieurs costumes bleu marine.

Toujours un peu serrés, les costumes... et les chaussures aussi : c'est une façon de les tenir... ses hommes.

Pendant la guerre, Piaf chante dans un cabaret à Marseille. C'est Andrée Bigard qui tient les cordons de la bourse et paie tout : les hôtels, les repas, les cadeaux, les voyages. Elle donne à Piaf – c'est un pacte entre elles – son argent de poche de la semaine, équivalent à cinq cents francs d'aujourd'hui. Piaf gagnait alors un minimum de trois cents francs par jour, et le double si elle chantait dans deux cabarets différents.

Un mercredi, Piaf demande à Bigard de lui avancer... la semaine suivante. Bigard refuse, « sauf si Édith lui dit pour quoi c'est faire ».

Il y a une foire à Marseille. Édith veut tout simplement dépenser sa semaine d'avance avec un petit soldat... mais elle ne veut pas l'avouer à Bigard.

Ivre de rage, Édith lui dit simplement : « Je me vengerai. »

Après le spectacle, elles vont souper avec Michel Emer, qui se cache à Marseille et qu'Édith protège.

Comme chaque fois qu'elle entre dans un endroit public – elle en éprouve une sorte de bonheur et de gêne à la fois – Piaf est applaudie. Avant de commencer à dîner, Piaf se lève et s'adresse aux clients du restaurant : « Mesdames, messieurs, je vous remercie de votre accueil. Je rentre de travailler, et comme vous le voyez vous-mêmes, il est tard ; et pourtant ma secrétaire, qui est là à côté de moi, refuse de me donner de l'argent. Dites-moi la chanson que vous désirez entendre. Je vous la chanterai. Après, je ferai la quête. »

Bigard murmure à Piaf : « Édith, vous n'êtes pas raisonnable. Nous allons avoir un procès avec votre cabaret ! »

Édith chante. Elle est très applaudie. Michel Emer fait la quête... et le cabaret ne fit pas de procès.

Un jour, Michel Emer, très « fauché », invite Édith dans un restaurant de marché noir. La patronne les accueille avec un air catastrophé : « Vous tombez mal ! Aujourd'hui je n'ai que du fenouil et de la cancoillotte.

— Eh bien, dit Édith en riant, quand tu m'emmènes au restaurant, on bouffe rien. »

Michel Emer découvrit la vérité quelques jours plus tard. Piaf avait téléphoné à la patronne – qui avait de tout – pour lui demander de dire qu'il n'y avait rien. Comme ça, elle était sûre qu'elle ne « ruinerait » pas l'homme qui venait de lui écrire *D'l'autre côté de la rue.*

Piaf, hantée par la mort déchue et misérable de sa mère, s'occupe d'une ribambelle de petits vieux. Elle a ses clochards de luxe. Elle leur donne régulièrement un billet de cent francs.

« J'avais peur que vous ne soyez partie madame Piaf !

— Ne t'en fais pas, mon vieux, c'est pour toi que je suis restée ! »

De San Francisco, Édith téléphone à son médecin pour lui demander de s'occuper d'une petite marchande de journaux, hospitalisée : « Veille à ce qu'elle ait une chambre. Si elle a besoin de n'importe quoi, tu le lui donnes, je te rembourserai à mon retour. »

La petite vieille a été placée en salle commune. Il ne lui reste plus que quelques heures à vivre.

« Je me souviens qu'elle voulait être incinérée, peux-tu t'en occuper ? »

L'employé des pompes funèbres demande au médecin si la petite vieille possède un caveau.

« Non bien sûr, tu lui en achètes un ! »

A partir de la Libération, après le départ d'Andrée Bigard, c'est Lou Barrier qui s'occupe de tout. Maintenant Édith a un train de vie plus important. Elle ne veut rien savoir à propos de l'argent qui passe dans la maison.

Par contre, pour tout ce qui concerne son métier, elle est extrêmement vigilante. Elle sait ce que touche chaque musicien qui travaille avec elle et n'oublie jamais de laisser une somme pour les machinistes ou les gens du plateau. Elle est également capable de venir chanter grippée pour que les ouvreuses ne soient pas lésées.

Pour sauver Coquatrix de la faillite, elle n'hésita pas à atteindre les limites de ses forces en retournant chanter à *L'Olympia*.

Les rapports de Piaf et de son public sont curieusement liés à l'argent. Le public aime se souvenir qu'elle a été pauvre, qu'elle vient de la misère, du peuple, et il lui plaît de penser qu'avec cette voix jaillie du ruisseau elle gagne des millions.

C'est une étrange noce. Piaf flambe et le public la veut riche, meurtrie, aimée !

Les titres de *France-Dimanche* sont très éloquents :

J'AI JETÉ UN MILLIARD PAR LES FENÊTRES.

A NEW YORK, JE VALAIS UN MILLION PAR SOIRÉE.

DANS MON HÔTEL PARTICULIER, À BOULOGNE, J'ENTRETENAIS HUIT PERSONNES À LA FOIS.

RIEN QUE MES DISQUES ME RAPPORTENT PLUS DE TRENTE MILLIONS D'ANCIENS FRANCS PAR AN.

Piaf rencontre Aznavour dans une boîte où il présente un numéro de duettistes avec un nommé Roche. Aznavour vient de la même misère qu'elle, « mais de loin, oh très loin », d'Arménie. Elle n'a de cesse de l'obliger à rompre avec Roche, mais c'est pour en faire son esclave. « Je faisais tout, dit Aznavour, les comptes, les économies, les éclairages, les micros, les rideaux, et puis je conduisais la voiture. J'étais son monsieur de compagnie. » Il dit aussi qu'il était celui qui lui ressemblait le plus.

« Il est pas mal, ton petit copain, lui lance une amie, mais il devrait se faire couper le nez.

— Elle a raison, dit Piaf.

– Elle a raison », dit Constantine.

Piaf est gaie comme un pinson. On va couper le nez de Charles. Elle lui offre son nouveau nez, mais on va fêter l'ancien nez.

Après quelques verres, elle éclate de rire.

« Ton nez c'est ta personnalité.

– Alors on ne le coupe pas, suggère Charles.

– Impossible j'ai versé des arrhes ! »

Lorsque Piaf est ruinée, *France-Dimanche* reprend ses litanies :

AZNAVOUR, MAINTENANT, IL EST PLUS RICHE QUE MOI.

Piaf est malade à Stockholm. Elle s'effondre sur scène. Elle souffre d'une occlusion intestinale. Le chirurgien du roi doit l'opérer. Piaf la capricieuse décide de rentrer à Paris. Elle ne supporte pas d'attendre une demi-journée l'avion régulier.

J'AI LOUÉ UN DC-4 POUR MOI TOUTE SEULE.

Elle devra chanter titubante pour payer ce DC-4, mais elle brûlera jusqu'à sa mort pour éblouir son public et... parce qu'elle est incapable de se conduire autrement.

Piaf a des amants de passage qui notent scrupuleusement sur un petit carnet de moleskine noire les ventes des disques de la semaine. Ça la fait rire ; et Félix Marten (« Je chantais alors le cynisme et les femmes. Édith voulait que je chante l'amour, mais je n'étais pas mûr ») l'amuse lui aussi lorsqu'il geint : « Elle me donnait l'argent pour payer les additions autour d'elle. J'en étais malade chaque fois. Elle payait pour trente-cinq ou quarante personnes. Si je m'avisais de dire quelque chose :

— Qu'est-ce que ça peut te foutre, c'est pas ton argent !

« N'empêche, poursuit-il, on partait à dix du théâtre et on arrivait à quarante au restaurant. »

« Édith, si vous continuez comme ça, grommelle Lou Barrier, bientôt c'est vous qui ouvrirez les portières des voitures aux *Ambassadeurs* le soir.

— N'oubliez pas que vous parlez à Édith Piaf, » répond la petite fille de Belleville, du *Gernys*, de Marseille et de New York.

« On ne pouvait pas lui répondre, soupire Billy. Il y avait quelque chose en elle... qui faisait qu'on ne pouvait rien lui dire. Même quand elle était ivre... c'était la reine Piaf. »

« L'argent, je ne l'ai pas perdu, riait Piaf, je ne sais pas ce qu'il est devenu. »

Maintenant il faudrait jeter pêle-mêle, comme dans la hotte de tous les Noëls qu'elle n'avait jamais eus : le désordre de Piaf, les pull-overs qu'elle tricotait pour ses amants dans sa loge et qu'elle ne terminait jamais, ses meubles dans l'appartement qui semblaient posés par un déménageur distrait. (Elle ne loua des meubles de style qu'une seule fois : ce fut pour recevoir Michèle Morgan.) Les rendez-vous qu'elle donnait à tout le monde en même temps à cinq heures; sa voix qui claquait comme un drapeau lorsqu'elle donnait un ordre; sa terreur de la nourriture dans les hôtels, les wagons-restaurants et les cliniques, sa peur en avion; sa passion pour les signes du zodiaque (lorsque le futur élu de son cœur était d'un signe incompatible avec le sien, Sagittaire, elle s'inquiétait un moment puis elle se rassurait avec ses ascendants); les mots qu'elle répétait le plus dans ses chansons : *amour, amant, adieu, bleu, blessé, cœur, cri, ciel, caresse, chagrin, chaîne, désespoir, destin, enfer, éperdu, fini, garçon, homme, honte, heureuse, ivresse, larmes, lumière, mourir, merveilleux, marin, noir, perdu, pleurer...*, et qui inspirèrent au duc de Brissac la réflexion suivante : « La langue française possède deux cent cinquante mille mots. Quel dommage que ce spectacle n'en utilise que cent cinquante ! »; son côté enfantin : elle avait gardé chez elle les gants de boxe de Cerdan et son peignoir; son envie de rire qui la conduisait souvent à la véritable cruauté.

« Elle pouvait aussi être d'une douceur infinie, raconte Henri Contet, et vous caresser la joue tout un après-midi. » Elle était également capable de l'enfermer à double tour dans sa chambre pour qu'il lui écrive une chanson : « Travaille. Pense à moi et écris. Ronsard n'était rien à côté de toi ! » Elle lui a

185

« arraché » des merveilles : *Bravo pour le clown, Regarde-moi toujours comme ça, Padam Padam, T'es beau, tu sais.* Lui, qui a vécu comme bien d'autres le « terrorisme » amoureux de Piaf, avoue que rien n'était plus émouvant que de l'observer dans la coulisse regardant chanter, les yeux noyés d'amour, votre successeur. En l'occurrence ce fut Montand.

Piaf avait follement douté de son physique lorsqu'elle était très jeune et vraiment souffert des « malingre, rachitique, souffreteuse » qui avaient parsemé ses premières critiques.

Mais la véritable souffrance était venue plus tard lorsqu'elle brûlait littéralement sur scène pendant les applaudissements. Comme la plupart des artistes, elle ne souffrait plus pendant qu'elle chantait. Une de ses ventes records fut celle de l'enregistrement à *L'Olympia* de *Mon Vieux Lucien*, de Charles Dumont et Michel Rivgauche, en 1961. Les applaudissements auraient rempli une face entière du disque si on ne les avait pas coupés. En Hollande, en 1962, lors de ses derniers tours de chant, le public l'avait acclamée debout pendant plus de dix minutes.

Une force magnétique se dégageait d'elle, un fluide ; et voici que nous avons autant de mal à la quitter que ce public qui la martyrisait debout pour la contempler une dernière fois.

Elle disait toujours merci à son public.

## 23

# Demandez
# la mort de Piaf!
# L'entrée
# dans le *Petit Larousse*

« Dormir, c'est du temps perdu. Dormir me fait peur. C'est une forme de mort. Je déteste le sommeil. »
*Édith Piaf*

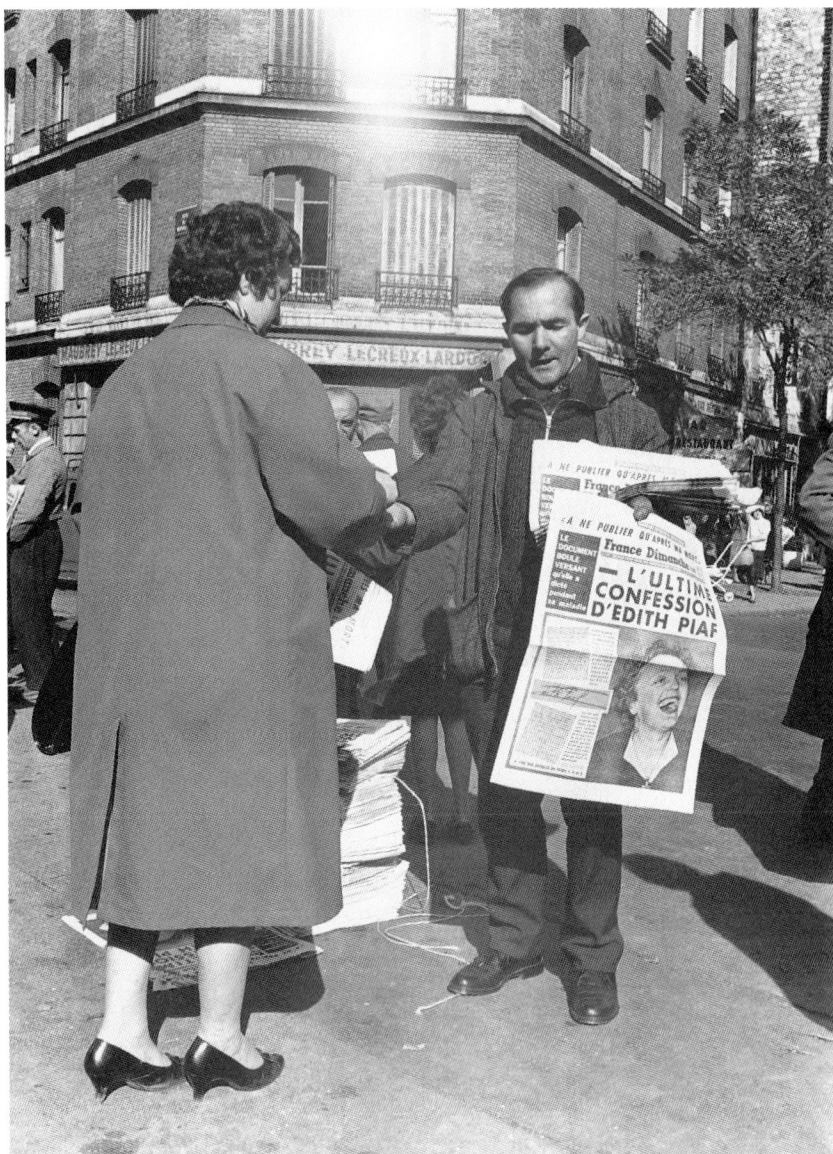

(Ph. Sygma / Europress)

L'enterrement de Piaf, le 14 octobre 1963, fut à un pays occidental ce que fut en Égypte celui de Nasser. C'était le peuple qui pleurait, hurlait, gémissait. « Dors en paix, grande, vaillante et petite Piaf », disait la couronne de Maurice Chevalier.

C'est Coquatrix qu'on a poussé dans la fosse, tout simplement parce que la foule déchaînée croyait que Piaf allait sortir de son cercueil pour chanter *J'men fous pas mal*, *Allez, venez Milord* ou *Les Mômes de la cloche*. Et si le miracle ne pouvait avoir lieu, alors cette même foule voulait voir couler les larmes de Marlène, d'Aznavour, de Charles Dumont et de l'enfant Théo.

Piaf avait dit : « Il y aura du monde à mon enterrement. » Elle avait raison. « Elle a encore fait un triomphe », reniflait Hugues Vassal, son photographe préféré.

A l'instant où l'on a annoncé sa mort en Union soviétique, où elle n'avait jamais été, les artistes ont

observé une minute de silence. Robin Smith écrivait
d'Amérique : *Édith Piaf, France's best loved singing
star is singing herself to death and won't allow
anyone to stop her* *.

Un an plus tôt, elle avait chanté du haut de la
tour Eiffel pour la sortie du film *Le Jour le plus long*.
C'est Joseph Kessel – présent le premier soir chez
Leplée – qui l'annonça. La boucle était bouclée.

« On ne refuse pas, dit-il, un rendez-vous avec les
grands signes du destin. J'ai découvert Piaf alors
qu'elle chantait pour la première fois, oui la première fois, dans un cabaret de nuit au milieu de
tables chargées de bouteilles de champagne et entourée de gens habillés pour une soirée élégante. Elle
venait droit, tout droit, de la rue, du pavé. Elle en
portait sur son chandail troué et son visage ravagé
tous les stigmates, et déjà dans sa voix le génie
déchirant. Et cette nuit, la voilà hissée sur un tré-
teau prodigieux, d'où son chant s'envole au-dessus
de Paris étoilé de feu. Même si on ne se trouve pas
sur la tour Eiffel, une telle ascension a de quoi donner le vertige, mais il n'y a en elle ni démesure ni
injustice. Elle ne doit rien à l'artificiel, à la tricherie,
à la mode, pas même à la chance. Elle s'est faite
degré par degré. Pour s'élever à cette altitude, Piaf a

---

* « Édith Piaf, la chanteuse française la plus aimée du public,
chante à en mourir et ne veut autoriser personne à l'en empê-
cher. »

payé le prix, tout le prix : la misère maîtrisée, la faiblesse et l'angoisse domptées, une exigence artistique sans miséricorde et un incroyable courage. »

A l'enterrement de Cocteau, mort le même jour, il y avait moins de monde mais le « signe » de leur mort partagée leur aurait plu à tous les deux.

Puis ils sont entrés dans le *Petit Larousse*, et c'eût été pour Piaf une grande joie. C'est tout ce qu'elle ne savait pas qui la rendait parfois méchante.

Le rapport passionné qu'elle a eu toute sa vie avec la musique et les hommes lui permet peut-être de dormir aujourd'hui, elle qui n'a jamais trouvé le sommeil avant que le jour se lève.

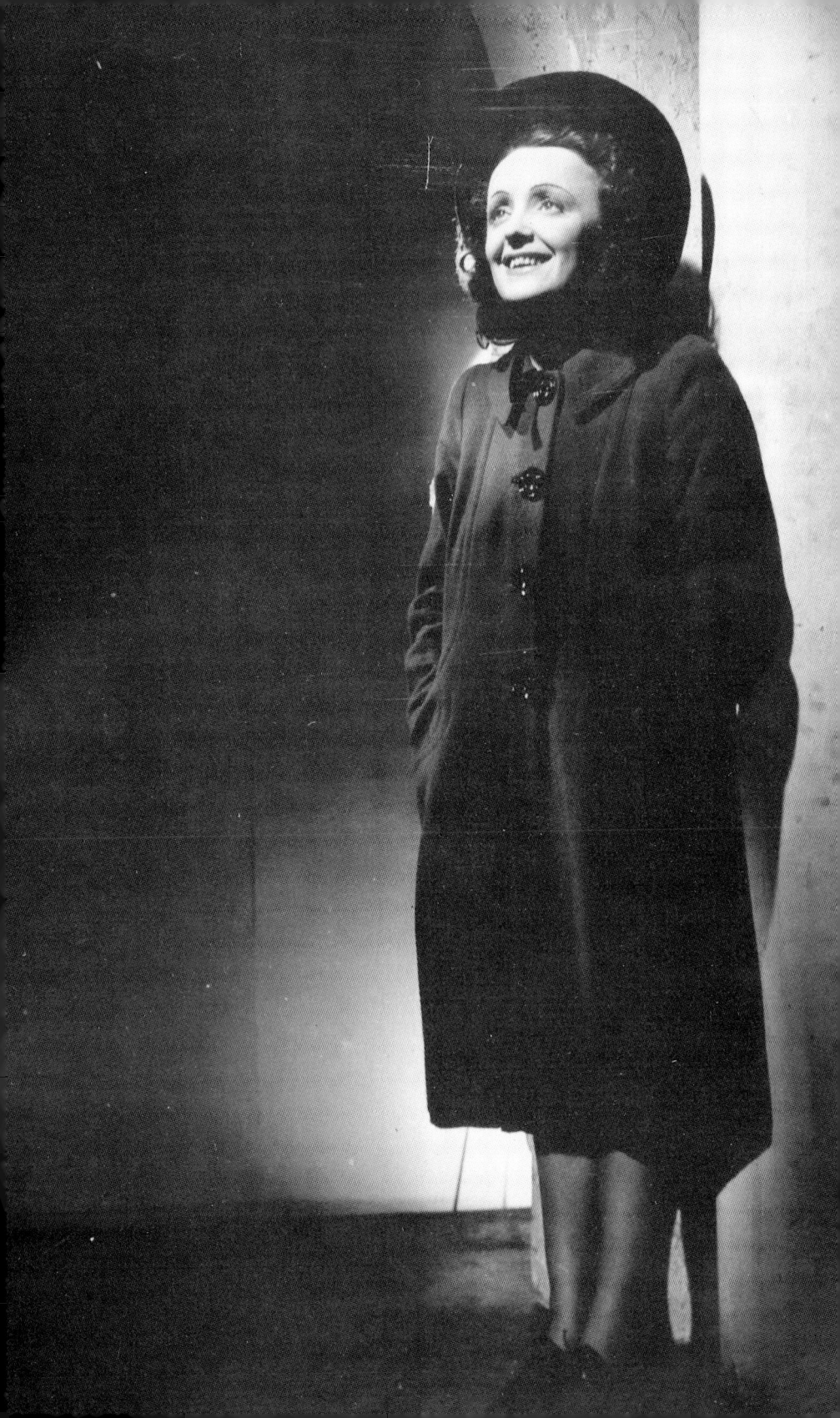

# Chansons

1960. (Ph. Keystone)

# MILORD

Allez venez Milord
Vous asseoir à ma table
Il fait si froid dehors
Ici c'est confortable
Laissez vous fair' Milord
Et prenez bien vos aises
Vos peines sur mon cœur
Et vos pieds sur un' chaise
Je vous connais Milord
Vous n' m'avez jamais vue
Je ne suis qu'un' fill' du port
Une ombre de la rue

Pourtant j' vous ai frôlé
Quand vous passiez hier
Vous n'étiez pas peu fier
Dam' le Ciel vous comblait
Votre foulard de soie
Flottant sur vos épaules
Vous aviez le beau rôle
On aurait dit le roi
Vous marchiez en vainqueur
Au bras d'un' demoiselle
Mon Dieu! qu'elle était belle
J'en ai froid dans le cœur

Allez venez Milord
Vous asseoir à ma table
Il fait si froid dehors

195

Ici c'est confortable
Laissez vous fair' Milord
Et prenez bien vos aises
Vos peines sur mon cœur
Et vos pieds sur un' chaise
Je vous connais Milord
Vous n' m'avez jamais vue
Je ne suis qu'un' fill' du port
Une ombre de la rue

Dir' qu'il suffit parfois
Qu'il y ait un navire
Pour que tout se déchire
Quand le navir' s'en va
Il emm'nait avec lui
La douce, aux yeux si tendres
Qui n'a pas su comprendre
Qu'ell' brisait votre vie
L'amour ça fait pleurer
Comme quoi l'existence
Ça vous donn' tout's les chances
Pour les reprendre après

Allez venez Milord
Vous avez l'air d'un môme
Laissez vous fair' Milord
Venez dans mon royaume
Je soigne le remords
Je chante la romance
Je chante les Milords
Qui n'ont pas eu de chance
Regardez-moi Milord

Vous n'm'avez jamais vue
Mais vous pleurez Milord
Ça j'l'aurais jamais cru

*Paroles de Georges Moustaki*
*Musique de Marguerite Monnot*

## MON MANÈGE A MOI

Tu me fais tourner la tête.
Mon manège à moi, c'est toi.
Je suis toujours à la fête
Quand tu me prends dans tes bras.
Je ferais le tour du monde,
Ça ne tourn'rait pas plus qu' ça.
La terr' n'est pas assez ronde
Pour m'étourdir autant qu' toi.

Comme on est bien tous les deux,
Quand on est ensembl' nous deux,
Quelle vie on a tous les deux,
Quand on s'aim' comme nous deux,
On pourrait changer d' planète.
Tant que j'ai mon cœur près du tien,
J'entends les flonflons d' la fête,
Et la terr' n'y est pour rien

Ah! oui, parlons en d' la terre!
Pour qui ell' se prend la terre?
Ma parole y a qu'ell sur terre,
Y a qu'ell' pour fair' tant d' mystère.
Mais pour nous, y a pas de problème,
Car c'est pour la vie qu'on s'aime.
Et, si y avait pas d' vie même,
Nous, on s'aimerait quand même.

Car tu me fais tourner la tête.
Mon manège à moi, c'est toi.
Je suis toujours à la fête

*tiens*

Quand tu me prends dans tes bras.
Je ferais le tour du monde,
Ça ne tourn'rait pas plus qu' ça.
La terr' n'est pas assez ronde
Pour m'étourdir autant qu' toi.
Je ferais le tour du monde,
Ça ne tourn'rait pas plus qu' ça.
J'ai beau chercher à la ronde,
Mon manège à moi, c'est toi.

*Paroles de Jean Constantin*
*Musique de Norbert Glanzberg*

## LA FOULE

Je revois la ville en fête et en délire,
Suffoquant sous le soleil et sous la joie,
Et j'entends dans la musiqu' les cris, les rires
Qui éclat'nt et rebondiss'nt autour de moi.
Et, perdue parmi ces gens qui me bousculent,
Étourdie, désemparée, je reste là,
Quand soudain je me retourne, il se recule.
Et la foul' vient me jeter entre ses bras...

Emportés par la foule qui nous traîne, nous entraîne,
Écrasés l'un contre l'autre,
Nous ne formons qu'un seul corps
Et le flot sans effort
Nous pousse enchaînés l'un et l'autre
Et nous laisse tous deux
Épanouis, enivrés et heureux.
Entraînés par la foule qui s'élance et qui danse
Une folle farandole,
Nos deux mains restent soudées
Et parfois soulevés,
Nos deux corps enlacés s'envolent
Et retombent tous deux,
Épanouis, enivrés et heureux.

Et la joie éclaboussée par son sourire
Me transperce et rejaillit au fond de moi
Mais soudain je pousse un cri parmi les rires,
Quand la foul' vient l'arracher d'entre mes bras...

Emportés par la foule qui nous traîne, nous entraîne,
Nous éloigne l'un de l'autre.
Je lutte et je me débats,
Mais le son de sa voix
S'étouffe dans les rir's des autres
Et je crie de douleur,
De fureur et de rage, et je pleure.
Entraînée par la foule qui s'élance et qui danse
Une folle farandole,
Je suis emportée au loin,
Et je crispe mes poings,
Maudissant la foul' qui me vole
L'homme qu'ell' m'avait donné
Et que je n'ai jamais retrouvé...

*Paroles de Michel Rirgauche*
*Musique de Angel Cobral*

201

## LES FLONFLONS DU BAL

Les flonflons du bal
A grands coups d' cymbale
Et l'accordéon
Secouent ma maison !
Les flonflons du bal
Donnent un festival
En dessous d' chez moi
Tous les soirs du mois !

J'ai beau tourner ma clé,
Ma clé à triple tour...
Ils sont toujours mêlés
A mes histoires d'amour
Les flonflons du bal,
Le long des murs sales
Montent par bouffées
Jusqu'à mon grenier !

Les flonflons du bal
A grands coups d' cymbale
Et d'accordéon
Secouent ma maison !

Qu'on ait du chagrin
C'est le même refrain
Qu'on soit presque mort
Ils jouent aussi fort !
Et quand tu es partie
Sans un seul mot d'adieu
J'ai dû, toute la nuit
Subir ce bruit affreux

---

Les flonflons du bal
Ça leur est égal,
Vous pouvez pleurer
Eux ils font danser...
Eux ils vendent la joie
C'est chacun pour soi
C'est tant mieux pour eux
C'est tant pis pour moi!

*Paroles de Michel Vaucaire*
*Musique de Charles Dumont*

## L'HOMME A LA MOTO

Il portait des culottes, des bottes de moto,
Un blouson de cuir noir avec un aigle sur le dos.
Sa moto qui partait comme un boulet de canon
Semait la terreur dans toute la région.

Jamais il ne se coiffait, jamais il ne se lavait,
Les ongles pleins de cambouis, mais sur le biceps il avait
Un tatouage avec un cœur, bleu sur la peau blême,
Et juste à l'intérieur on lisait : « Maman je t'aime! »
Il avait un' petite amie du nom de Marylou,
On la prenait en pitié, une enfant de son âge,
Car tout le mond' savait bien qu'il aimait entre tout
Sa chienne de moto bien d'avantage.

Il portait des culottes, des bottes de moto,
Un blouson de cuir noir avec un aigle sur le dos.
Sa moto qui partait comme un boulet de canon
Semait la terreur dans toute la région.

Marylou, la pauvre fille l'implora, le supplia,
Dit : « Ne pars pas ce soir, je vais pleurer si tu t'en vas. »
Mais les mots furent perdus, ses larmes pareillement
Dans le bruit de la machine et du tuyau d'échappement,
Il bondit comme un diable avec des flammese dans les yeux,
Au passage à niveau ce fut comme un éclair de feu
Contre une locomotiv' qui filait vers le midi,
Et quand on débarrassa les débris...

On trouva sa culotte, ses bottes de moto,
Son blouson de cuir noir avec un aigle sur le dos,
Mais plus rien de la moto et plus rien de ce démon
Qui semait la terreur dans toute la région.

*Paroles de Jean Dréjac*
*Musique de Mike Stroller et Jerry Leiber*

## LES TROIS CLOCHES

Village au fond de la vallée,
Comme égaré, presqu' ignoré,
Voici dans la nuit étoilée,
Qu'un nouveau-né nous est donné;
Jean-François Nicot il se nomme,
Il est joufflu, tendre et rosé.
A l'église, beau petit homme,
Demain tu seras baptisé.

Une cloche sonne, sonne!
Sa voix d'écho en écho,
Dit au monde qui s'étonne:
C'est pour Jean-François Nicot!
C'est pour accueillir une âme,
Une fleur qui s'ouvre au jour;
A peine à peine une flamme encore faible qui réclame
Protection, tendresse, amour!

Village au fond de la vallée,
Loin des chemins, loin des humains,
Voici, qu'après dix-neuf années,
Cœur en émoi, le Jean-François
Prend pour femme la douce Élise,
Blanche comme fleur de pommier.
Devant Dieu, dans la vieille église
Ce jour ils se sont mariés.

Toutes les cloches sonnent, sonnent!
Leurs voix d'écho en écho,
Merveilleusement couronnent

La noce à François Nicot
« Un seul corps, une seule âme,
Dit le prêtre, et pour toujours !
Soyez une pure flamme qui s'élève, qui proclame
La grandeur de notre amour ! »

Village au fond de la vallée,
Des jours, des nuits, le temps a fui ;
Voici, dans la nuit étoilée,
Un cœur s'endort, François est mort
Car toute chair est comme l'herbe ;
Elle est comme la fleur des champs :
Épis, fruits murs, bouquets et gerbes,
Hélas, tout va se desséchant.

Une cloche sonne, sonne !
Elle chante dans le vent.
Obsédante, monotone,
Elle redit aux vivants :
« Ne tremblez pas cœurs fidèles !
Dieu vous fera signe un jour.
Vous trouverez sous son aile, avec la vie éternelle,
L'éternité de l'amour ! »

*Paroles et musique de Gilles*
*(Jean Villard)*

## L'HYMNE À L'AMOUR

Le ciel bleu sur nous peut s'écrouler.
Et la terre peut bien s'effondrer
Peu m'importe, si tu m'aimes,
Je me moque du monde entier.
Tant qu' l'amour inond'ra mes matins,
Que mon corps frémira sous tes mains
Peu m'importe les grands problèmes,
Mon amour, puisque tu m'aimes.


J'irais jusqu'au bout du monde,
Je me ferais teindre en blonde,
Si tu me le demandais.
J'irais décrocher la lune,
J'irais voler la fortune,
Si tu me le demandais.
J'irais loin de ma patrie,
Je renierais mes amis,
Si tu me le demandais.
On peut bien rire de moi.
Je ferais n'importe quoi,
Si tu me le demandais.


Si un jour la vie t'arrache à moi,
Si tu meurs, que tu sois loin de moi.
Peu m'importe si tu m'aimes.
Car moi, je mourrai aussi.
Nous aurons pour nous l'éternité
Dans le bleu de toute l'immensité.

———

Dans le ciel plus de problèmes.
Dieu réunit ceux qui s'aiment.

*Paroles d'Édith Piaf*
*Musique de Marguerite Monnot*

209

## LA VIE EN ROSE

Des yeux qui font baisser les miens,
Un rire qui se perd sur sa bouche,
Voilà le portrait sans retouche,
De l'homme auquel j'appartiens.

Quand il me prend dans ses bras,
Il me parle tout bas,
Je vois la vie en rose,
Il me dit des mots d'amour
Des mots de tous les jours,
Et ca m'fait quelque chose,
Il est entré dans mon cœur
Une part de bonheur,
Dont je connais la cause,
C'est lui par moi,
Moi par lui, dans la vie
Il me l'a dit, l'a juré pour la vie,
Et dès que je l'aperçois
Alors je sens en moi
Mon cœur qui bat.

Des nuits d'amour à en mourir
Un grand bonheur qui prend sa place
Les ennuis, les chagrins s'effacent,
Heureux, heureux pour mon plaisir

Quand il me prend dans ses bras,
Il me parle tout bas,
Je vois la vie en rose,
Il me dit des mots d'amour

---

Des mots de tous les jours,
Et ça m'fait quelque chose,
Il est entré dans mon cœur
Une part de bonheur,
Dont je connais la cause,
C'est lui par moi,
Moi par lui, dans la vie
Il me l'a dit, l'a juré pour la vie,
Et dès que je l'aperçois
Alors je sens en moi
Mon cœur qui bat.

*Paroles d'Édith Piaf*
*Musique de Louiguy*

211

## NON JE NE REGRETTE RIEN

Non! Rien de rien...
Non! Je ne regrette rien...
Ni le bien,
Qu'on m'a fait,
Ni le mal,
Tout ça m'est bien égal!

Non! Rien de rien...
Non! Je ne regrette rien...
C'est payé,
Balayé, oublié,
Je me fous du passé!

Avec mes souvenirs
J'ai allumé le feu,
Mes chagrins, mes plaisirs,
Je n'ai plus besoin d'eux!
Balayés les amours,
Et tous leurs trémolos,
Balayés pour toujours
Je repars à zéro...

Non! Rien de rien...
Non! Je ne regrette rien...
Ni le bien,
Qu'on m'a fait,
Ni le mal,
Tout ça m'est bien égal!

Non! Rien de rien...
Non! Je ne regrette rien...
C'est payé,
Balayé, oublié,
Je me fous du passé!

Car ma vie,
Car mes joies,
Aujourd'hui,
Ça commence avec toi!

*Paroles de Michel Vaucaire*
*Musique de Charles Dumont*

## LA GOUALANTE DU PAUVRE JEAN

Esgourdez rien qu'un instant
La goualant' du pauvre Jean
Que les femmes n'aimaient pas,
Mais n'oubliez pas !
Dans la vie, y a qu'une morale :
Qu'on soit riche ou sans un sou,
Sans amour, on n'est rien du tout.

Il vivait au jour le jour
Dans la soie et le velours ;
Il pionçait dans de beaux draps,
Mais n'oubliez pas !
Dans la vie, on est peau d'balle
Quand notre cœur est au clou.
Sans amour, on n'est rien du tout.

Il guinchait dans les salons
Il becqu'tait chez les barons,
Et lichait tous les tafias.
Mais n'oubliez pas !
Rien ne vaut une bell' fille.
Qui partag' notre ragoût.
Sans amour, on n'est rien du tout.

Pour gagner des picaillons,
Il fut un méchant larron.
On le saluait bien bas.
Mais n'oubliez pas !
Un jour, on fait la pirouette
Et derrière les verrous,
Sans amour, on n'est rien du tout.

———

Esgourdez bien, jeunes gens.
Profitez de vos vingt ans.
On ne les a qu'une fois.
Et n'oubliez pas !
Plutôt qu'une cordelette,
Mieux vaut un' femme à son cou.
Sans amour, on n'est rien du tout.

*Paroles de René Rouzaud*
*Musique de Marguerite Monnot*

*Remerciements*

L'auteur remercie Andrée Bigard, Simone Margantin, Henri Contet, Lou Barrier et le Club des Amis d'Édith Piaf pour leur précieux concours.

Elle remercie également M. Gilles Henry, auteur d'une remarquable Généalogie-Récit de la vie d'Édith Piaf.

1947. (Ph. Keystone)

Après une tournée avec "les Compagnons de la Chanson",
Edith chante à son arrivée gare du Nord. (Ph. Keystone)

*Aubin Imprimeur*

LIGUGÉ, POITIERS

IMPRESSION – FINITION

Achevé d'imprimer en avril 1993
N° d'édition 93034 / N° d'impression L 42587
Dépôt légal avril 1993
Imprimé en France